Chère lectrice,

Le mois de février e[...] [...]-timents et de l'amour, le mois où les amants romantiques célèbrent leur passion et l'anniversaire de leur rencontre... C'est donc en pensant à cette période particulièrement dévouée aux choses du cœur que Rouge Passion a préparé vos romans préférés. Des héroïnes audacieuses partent en campagne pour trouver le bonheur (*Une cible idéale !*, un roman signé « Objectif : Séduction », 1116), s'insurgent contre le mariage quand il n'est pas « d'amour » (*Le bonheur pour contrat*, 1115). D'autres, plus sentimentales et nostalgiques, sentent leur cœur de jeune fille battre comme autrefois pour un être perdu de vue et soudain retrouvé (*Mademoiselle et son chauffeur*, 1111), ou s'enflamment, corps et âme, pour le meilleur et pour le pire (*Amants sous condition*, 1113)...

Quant aux hommes, ils ne sont pas de reste. Dans votre « Suspense » de ce mois, Morgan, shérif de son état, aura fort à faire face à une voleuse de charme, fantasque à souhait (*Danger sur vidéo*, 1112). Clint Silver, lui, l'Homme de Février, vous fera franchement craquer : *Top-model malgré lui*, il décoiffe (1114) !

Excellente lecture, et bonne fête aux amoureuses !

La responsable de collection

Amants sous condition

KATHRYN JENSEN

Amants sous condition

COLLECTION ROUGE PASSION

*Cet ouvrage a été publié en langue anglaise
sous le titre :*
THE AMERICAN EARL

Traduction française de
MURIEL VALENTA

Originally published by SILHOUETTE BOOKS,
division of Harlequin Enterprises Ltd.
Toronto, Canada

1.

Au comble de l'exaspération, Matthew Smythe pénétra dans la salle de réunion vide avec sa secrétaire particulière sur les talons, tel un frêle esquif impitoyablement ballotté dans le sillage d'un navire de guerre.

— Pourquoi est-ce que rien n'est prêt? demanda-t-il sèchement. Et où diable se trouve Belinda?

Poussant un soupir las, Paula Shapiro répondit :

— Monsieur, vous savez bien qu'elle a démissionné ce matin.

— Mais enfin, c'est ridicule! Elle est arrivée chez nous il y a deux mois à peine.

— Je suppose que, comme les autres, elle a trouvé le poste un peu trop...

Paula marqua une légère pause, le temps de trouver un qualificatif qui ne risquât pas d'irriter davantage son patron.

— ... exigeant. Ce n'est pas toujours évident de tout organiser dans l'urgence.

« Ni de supporter votre caractère », ajouta-t-elle en silence.

— Franchement, je ne vois pas en quoi préparer une petite réception de bon goût pour des nouveaux clients peut être difficile, marmonna Matt, tandis que son regard aigu balayait rapidement la pièce.

Normalement, un bar et un buffet garnis de mets délicats importés auraient déjà dû être dressés, juste devant les grandes baies vitrées offrant une vue imprenable sur Chicago.

Quant aux chaises pliantes en métal, elles auraient dû être remplacées par des sièges confortables.

Matt se souvenait en effet vaguement qu'un incident avait éclaté avec la dernière des secrétaires qu'il avait engagée pour se charger de l'accueil des clients. Toutefois, l'homme d'affaires qu'il était ne s'était pas laissé perturber par sa petite crise de nerfs typiquement féminine. Peut-être aurait-il dû être plus attentif... Paula devait s'être absentée à ce moment, sinon elle l'aurait prévenu plus tôt. De toutes les façons, il était désormais trop tard...

Il jeta un coup d'œil à sa montre. Dans moins de deux heures, les invités seraient là.

— Que me suggérez-vous ? demanda-t-il à Paula, en passant nerveusement une main dans ses épais cheveux bruns.

— Je pourrais appeler le traiteur, proposa Paula, d'un air peu convaincu. Mais cela ne vous serait pas d'une grande utilité pour vendre vos produits...

Matt hocha la tête.

— Non, et de toutes les façons, Franco ne sera jamais prêt à temps. Je préfère que vous vous en occupiez vous-même. Nous avons tout ce qu'il faut.

— Lord Smythe !

Paula le fixait d'un regard incrédule, les poings sur ses hanches généreuses. Décidément, pensa Paula, le jeune président de Smythe International semblait, comme la plupart des hommes, avoir une ouïe sélective.

Mauvais signe, se dit Matt. Paula, une femme intelligente d'âge moyen, arborait une épaisse crinière blonde permanentée et des lunettes en forme de papillon, ornées de strass. Matt n'aurait pu rêver d'une assistante plus compétente. Elle gérait le bureau de main de maître et acceptait sans rechigner d'effectuer des heures supplémentaires, pour lesquelles Matt la rémunérait généreusement. Mais lorsqu'elle l'apostrophait en utilisant son titre de noblesse et qu'elle lui lançait un tel regard, il savait qu'il avait été trop loin.

— Je viens de vous le dire il y a cinq minutes, continua-t-elle avec un regard encore plus insistant. Je dois emmener mon plus jeune fils chez le dentiste.

— Ah... Oui, bien sûr. Désolé. Dans ce cas, avez-vous une idée quelconque pour la réception ?

Il pouvait toujours arranger lui-même le buffet, mais il n'était pas sûr du résultat. Et de toutes les façons, il lui manquerait toujours une hôtesse d'accueil pour remplacer Belinda.

— Si vous êtes vraiment coincé, commença dans son dos une voix féminine, je peux vous proposer quelques mets gastronomiques qui, je le pense, vous plairont.

Matt se retourna, et il se trouva face à une jeune femme plutôt menue, qui se tenait à l'entrée de la salle de réunion. Il remarqua d'emblée sa chevelure rousse, qui tombait en cascade sur ses épaules. Il devait y avoir du vent dehors, parce qu'elle était toute décoiffée, mais ses cheveux rougeoyaient comme le feu, et ils encadraient joliment son visage aux traits délicats. Ensuite, Matt remarqua ses longues jambes. Si elle avait porté une tenue un peu moins sage que son tailleur bleu marine, le charme qu'elle dégageait aurait pu passer pour de la provocation. Il l'étudia plus attentivement. Compte tenu de la couleur de ses cheveux, il s'attendait qu'elle ait les yeux verts. Mais non. Ils étaient plutôt couleur moka profond, et le fixaient en pétillant d'enthousiasme. Immédiatement, une chaleur diffuse envahit le corps de Matt.

— Qui êtes-vous ? gronda-t-il.

En un clin d'œil, la jeune femme sortit de sa poche une carte de visite professionnelle, et elle se rapprocha pour déposer dans la main de Matt le petit rectangle de bristol rose.

— Abigail Benton, annonça-t-elle d'une voix claire. Je représente La Tasse et La Soucoupe, un salon de thé de Chicago. Vous avez peut-être déjà entendu parler de nous ?

Elle ne lui laissa pas le loisir de répondre. Les mots se bousculaient sur ses jolies lèvres, maquillées avec un brillant violet foncé.

— J'ai rendez-vous dans cet immeuble, mais je suis en avance. Si vous le voulez, je pourrais préparer la salle pour vous. Combien d'invités attendez-vous ce soir?

Matt l'observa avec curiosité. A en juger par la coloration de ses joues et sa posture, à moitié sur la pointe des pieds, elle ne devait pas être aussi à l'aise qu'elle voulait le paraître. Néanmoins, son petit numéro était parfaitement au point et Matt devait bien convenir qu'elle tombait à pic pour l'aider à résoudre son problème présent. Quelle que soit l'aide que lui apporterait cette jeune femme, elle serait de toutes les façons la bienvenue.

— Trois couples, et moi-même, répondit-il, sur le point de quitter la pièce. Paula, montrez à Mlle Benton où se trouvent les affaires, et ensuite emmenez votre fils chez le dentiste.

De retour dans son bureau, Matt étala devant lui les dossiers consacrés à ses clients, recouvrant ainsi les armoiries familiales qui étaient estampées à l'or fin sur son sous-main de cuir noir. Il se mit ensuite à étudier les profils personnels et professionnels de chacun. Au bout de quelques minutes seulement, il repoussa les dossiers d'un geste nerveux. Il était en effet incapable de se concentrer, ses pensées vagabondant inexorablement vers cette crinière flamboyante et ces yeux... Oui, Abigail Benton avait des yeux inoubliables.

Assez rêvé! Il lui fallait revenir à ses affaires.

Même si, aujourd'hui, la catastrophe avait pu être évitée de justesse, comment ferait-il pour les autres rendez-vous prévus cette semaine? Et ceux de la semaine prochaine? Son emploi du temps ne prévoyait aucun temps mort, et il avait réellement besoin d'une employée à plein temps, cumulant les fonctions d'hôtesse et de secrétaire particulière. Smythe International avait en effet la réputation de proposer des soirées de bon goût à ses partenaires : dîners gastronomiques dans une ambiance feutrée pour les fournisseurs étrangers, ou réceptions chaleureuses pour les détaillants américains qui commercialisaient ses produits dans leurs magasins de luxe. Et Matthew Smythe, septième comte de

Brighton, avait été récompensé pour sa générosité. Le catalogue de sa société proposait en effet des centaines de denrées délicieuses, originaires du monde entier, comme les célèbres chocolats français Valrona, des cafés napolitains, des épices turques, ou encore de fins sablés anglais à déguster en accompagnement d'un thé délicatement parfumé à la bergamote.

Toutefois, Matthew avait besoin d'être épaulé par une équipe fiable, et dès demain, il commencerait à chercher une remplaçante à Belinda. En attendant...

Son regard se posa sur la carte de visite rose. Abigail : un prénom plutôt désuet pour une telle beauté sauvage. Elle était jeune, et s'il avait correctement interprété son attitude — cette nervosité typique malgré l'enthousiasme de son regard — elle manquait d'expérience dans la profession. Et peut-être aussi dans d'autres domaines... C'était sans doute pure folie de sa part d'avoir confié une tâche aussi importante à une inconnue, mais soit il lui laissait organiser la réception de son mieux, soit il emmenait ses invités au restaurant. Or, cette dernière solution n'aurait pu que porter préjudice à son chiffre d'affaires ou à sa réputation. Donc, il devait prendre le risque.

Debout au milieu d'une sorte d'immense coffre-fort réfrigéré, Abby regardait tout autour d'elle avec la même fébrilité qu'un enfant laissé seul dans un magasin de confiseries. Cela faisait maintenant neuf mois qu'elle travaillait pour La Tasse et La Soucoupe, ce qui représentait un net progrès par rapport aux postes de vendeuse de parfums dans un grand magasin ou bien de serveuse au Burger Delite, qu'elle avait occupés pendant ses études universitaires à Northwestern.

Heureusement, cette époque était révolue, et elle était désormais employée à plein temps. Certes, elle ne gagnait pas un salaire mirobolant, mais elle avait droit à une commission sur les ventes ! Et surtout, elle adorait son travail.

Elle avait bouclé son mémoire de troisième cycle en marketing deux jours avant son vingt-cinquième anniversaire, et elle avait ensuite dû chercher un emploi. Estimant qu'elle aurait tout intérêt à en choisir un qui lui plairait, elle s'était souvenue que pendant ses études, elle aimait s'offrir — lorsque ses finances le lui permettaient — un cappuccino ou une infusion à La Tasse et La Soucoupe. Et quand son budget était trop serré, elle prenait plaisir à flâner au milieu des rayons de thés et de cafés exotiques, de pâtisseries savoureuses, de muffins maison parfumés aux canneberges et à l'orange, ou de biscuits aux pépites de chocolat. C'était un monde qui la fascinait.

La dernière fois qu'elle avait rendu visite à sa famille, qui habitait une petite ferme au sud d'Alton, dans l'Illinois, elle avait confié ses rêves à sa mère : « Je travaillerai pendant quelques années en économisant, j'apprendrai tout ce qu'il faut savoir sur l'industrie alimentaire de luxe, et le moment venu, je contracterai un emprunt et j'ouvrirai ma propre boutique. Sur Navy Pier, entre la galerie marchande et cette jolie petite bijouterie. Ce sera parfait. » Et elle en avait frissonné d'excitation.

« Quelle bonne idée », lui avait répondu en souriant sa mère, tout en lui tapotant gentiment le bras. Elle aurait tout aussi bien pu ajouter : « C'est bien qu'une jeune femme se trouve un passe-temps avant de fonder une famille. »

Bien entendu, Abby souhaitait se marier et avoir des enfants, mais elle voulait avant tout se prouver à elle-même qu'elle était capable de faire autre chose que des bébés.

Dans un soupir, Abby commença à faire son choix : des bocaux de calamars et d'olives noires importés d'Espagne, des fruits frais, des parts de stilton et de brie, des paquets de biscuits salés et des boîtes de gâteaux. Comme elle ne connaissait pas le goût des invités, elle opta pour un mélange de salé et de sucré, de mets épicés au goût relevé et d'autres à la saveur plus douce. Déposant son trésor sur une longue étagère, elle poussa ensuite la lourde porte d'une chambre froide, à l'intérieur de laquelle elle trouva non seulement un chariot mais aussi des pains, des pâtisseries, et de la viande.

Comme prise d'une frénésie d'achat, Abby chargea le chariot à ras bord. Mais où s'était-il procuré toute cette nourriture si appétissante ? Elle prit bien soin de noter dans un coin de sa tête le nom des marques et les pays d'origine des produits. Décidément, cet homme, dont elle ignorait l'identité, avait un goût indéniable et son fournisseur était un génie. Il s'approvisionnait peut-être lui aussi chez Smythe Imports, puisque les deux sociétés se trouvaient dans le même immeuble, et au même étage ? Elle avait bien cherché une plaque, pour mettre un nom sur le propriétaire de la salle de réunion, mais elle n'avait rien trouvé.

Jetant un coup d'œil à sa montre, elle poussa un petit cri de surprise. Elle était arrivée avec une trentaine de minutes d'avance pour son rendez-vous, et en se pressant un peu, elle pourrait encore y arriver à l'heure.

Quarante minutes plus tard, Abby terminait de tout arranger. La salle de réunion était accueillante, ressemblant à ce qu'elle aurait aimé trouver si elle avait été en voyage, à la recherche d'un endroit agréable. Sur le bar, elle avait disposé de l'eau de source glacée et de l'eau chaude pour les infusions, plusieurs sortes de vins et divers ingrédients pour les cocktails. Un buffet dressé sur une table ronde proposait un assortiment de mets, importés ou locaux.

Tenaillée par la faim, elle était très tentée de grignoter quelque chose, mais elle n'avait même pas le temps de prévenir qu'elle avait terminé. Abby emprunta le couloir au pas de course, tout en regardant défiler les numéros des bureaux. Elle avait dix minutes de retard pour son rendez-vous, et avec un peu de chance, le commercial qu'elle devait rencontrer serait lui aussi en retard. D'habitude, elle préférait que les commerciaux viennent la rencontrer à La Tasse et La

Soucoupe, mais cette fois-ci, elle avait cherché un prétexte pour visiter les locaux du prestigieux importateur.

Enfin, elle trouva les bureaux de Smythe International et elle franchit la porte d'un pas décidé... pour entrer en collision avec un mur de muscles revêtu d'un costume, qui laissa échapper une sorte de grondement étouffé.

— Oh, désolée, je...

Mais elle n'eut pas le loisir de poursuivre, car elle rebondit vers l'arrière, contre le chambranle de la porte, comme par ricochet. Deux puissantes mains se posèrent alors sur ses épaules et la maintinrent debout, le temps qu'elle retrouve son équilibre.

Lentement, Abby leva les yeux, et elle reconnut le mystérieux homme qu'elle avait rencontré un peu plus tôt. Perplexe, elle fronça les sourcils.

— Désolée, parvint-elle à bredouiller. Je devais aller... un peu trop vite.

Il la fixa, l'air préoccupé :

— Vous avez eu un problème ?

— Il n'y a aucun problème. Votre salle est prête.

Après un coup d'œil critique à la chevelure d'Abby, les yeux de Matt glissèrent sur son tailleur bon marché, d'une manière qui la mit mal à l'aise.

— Il faut que vous vous changiez.

— Je vous demande pardon ?

— Cette tenue trop sage ne s'accorde pas vraiment avec des mets délicats et des vins fins.

Elle le regarda, et pour la première fois elle se rendit compte combien il était grand par rapport à son petit mètre soixante. Lui devait largement dépasser le mètre quatre-vingts, estima-t-elle. Taillé dans un roc. Et il y avait chez lui un petit quelque chose qui lui sembla vaguement familier, bien qu'elle ne pensât pas s'être déjà trouvée en sa présence.

— Il doit s'agir d'un léger malentendu, commença-t-elle avec un sourire diplomate qui laissa l'homme de marbre. En fait, j'ai un rendez-vous important, et je suis déjà en retard.

14

J'ai seulement proposé de vous aider parce que vous sembliez dans le pétrin.

— Par pure gentillesse, n'est-ce pas? demanda-t-il d'un ton sarcastique.

Abby se redressa et son sourire s'évanouit.

— Exactement. Il existe des personnes simplement gentilles. Maintenant, si vous voulez bien m'excuser, je suis plus qu'en retard pour mon rendez-vous avec le commercial de Smythe International.

Elle essaya de s'esquiver, mais il lui barra le passage.

— J'ai renvoyé Brian chez lui pour la journée.

Elle fronça les sourcils de perplexité : la façon qu'avait cet homme de la dévisager la troublait. Il semblait en effet la déshabiller entièrement du regard. Non seulement on aurait cru qu'il cherchait à la dépouiller de ses vêtements, mais on aurait aussi dit qu'il fouillait son âme, à la recherche d'une réponse précise. Et Abby détestait cette sensation. Toutefois, elle n'allait pas se laisser impressionner : elle avait en effet des choses bien plus importantes à s'occuper.

— Il n'a pas pu partir! protesta-t-elle. Nous sommes convenus de ce rendez-vous il y a deux semaines.

— Où habitez-vous? demanda-t-il, sans prêter attention à ce qu'elle venait de dire.

Quel toupet! Dans un premier temps, il la déshabillait du regard, et voilà maintenant qu'il espérait qu'elle lui donne son adresse.

— Désolée, mais cela ne vous concerne pas.

— Mais bon sang! Je ne cherche pas à vous faire la cour.

Qu'il pût dans une même phrase jurer et utiliser une expression aussi surannée que « faire la cour » sonnait étrangement, et Abby crut percevoir un léger accent étranger dans son intonation. Anglais peut-être?

— Je veux simplement savoir si vous avez le temps de rentrer chez vous et de vous changer avant la réception. Si ce n'est pas le cas, Belinda a dû laisser quelques robes ici qui pourraient vous convenir.

Une fois de plus, il la détailla de la tête aux pieds.

— Vous semblez être de la même taille.

Abby lui lança un regard furieux.

— Le seul endroit où j'envisage d'aller, puisqu'il semble que j'ai manqué mon rendez-vous, c'est à mon travail.

— Oui, répondit-il alors que sa bouche esquissait un léger sourire. Il s'agit de ce petit café sur Oak Street, n'est-ce pas ? Je m'y suis arrêté quelques fois.

Puis il hocha la tête, sans rien ajouter.

— Je suis vraiment désolée, répéta-t-elle, mais je ne peux pas rester ici et jouer à l'hôtesse pour vous. Néanmoins, je ne doute pas que vous vous en sortirez très bien.

A l'expression qu'il affichait, il était clair qu'il n'était pas dupe, mais il n'allait pas se mettre à discuter ce point maintenant.

— Appelez votre patron, et dites-lui que vous n'irez pas travailler aujourd'hui. Je vous paierai cinq billets pour sourire et vous montrer aimable avec mes invités.

— Cinq cents dollars ? demanda-t-elle, abasourdie.

Et soudain, elle comprit le sens caché de ses dernières paroles.

— Mais enfin, ce n'est pas le genre de travail que j'effectue, monsieur...

— Matthew Smythe, répondit-il, en lui tendant la main.

A cet instant, elle se souvint où elle l'avait vu... du moins en photo : sur l'une des dernières couvertures de *Fortune*. Immédiatement, elle saisit sa main, comme par réflexe. Ensuite, elle repensa à tout ce qu'elle avait pu dire jusqu'alors, et elle comprit rétrospectivement qu'elle avait dû passer pour une folle.

— Vous êtes le président de Smythe International, balbutia-t-elle timidement. La troisième entreprise d'importation du pays.

Elle avait lu des articles à son sujet, publiés dans le *Wall Street Journal, Fortune*, mais aussi dans le carnet mondain du *Chicago Tribune*. Lord Matthew Smythe — parfois surnommé le Comte Américain — était un membre de l'aristo-

16

cratie britannique venu s'établir aux Etats-Unis, où il avait fait fortune.

— Les affaires marchent bien, murmura-t-il avec une certaine condescendance. Ecoutez, mademoiselle Benton, je ne veux pas que vous vous mépreniez sur mes intentions. Je suis réellement dans de sales draps. D'ici à une heure, trois responsables des achats travaillant pour des épiceries de luxe vont arriver avec leurs épouses.

Nerveusement, il passa ses longs doigts dans ses cheveux soigneusement peignés. Immédiatement, sa coiffure reprit forme, pas un seul cheveu ne dépassant.

— Leur servir les produits que j'importe ne suffit pas à garantir la signature d'un contrat. J'ai besoin d'une partenaire qui se déplace dans la salle, écoute les remarques, fait la conversation aux épouses, sourit. J'ai besoin de vous.

Et ces derniers mots grondèrent comme un coup de semonce.

— Mais je...

Abby était sur le point d'objecter qu'elle ignorait comment recevoir des hôtes de marque, mais les avantages possibles de la situation lui parurent plus importants que sa timidité naturelle. Outre les cinq cents dollars et l'envie de gagner l'estime de Matthew Smythe, cette soirée lui apporterait une expérience et des contacts considérables. Elle serait vraiment idiote de refuser !

— Je vais me changer et je serai de retour dans moins d'une heure.

— Cette robe te va bien aussi. Je ne comprends pas pourquoi une simple réception te met dans un tel état.

Assise sur le lit d'Abby, sa colocataire, Dee D'Angello, la regardait essayer la sixième robe en quinze minutes.

— Si tu voyais toi-même l'allure qu'il a, tu comprendrais, répondit Abby avec flegme. Il est beau comme un dieu. Et son costume ! Encore mieux qu'un Armani. Je suis sûre qu'il est coupé sur mesure.

Elle enfila une nouvelle tenue et s'observa dans le miroir de sa penderie, en lissant les faux plis de la main.

— As-tu idée du prix d'un costume sur mesure de nos jours ? Je suis prête à parier que sa cravate à elle seule coûte plus cher que mon salaire hebdomadaire.

— On dirait que le président de cette entreprise occupe toutes tes pensées, fit remarquer Dee d'un air songeur...

— Ne sois pas ridicule. J'essaie seulement de trouver le moyen de survivre à cette soirée afin de récolter un maximum d'informations intéressantes. Smythe se situe au sommet de la pyramide que j'envisage d'escalader.

— Et tu imagines qu'il te suffira de passer une soirée dans la même pièce que ce type, pour que sa réussite déteigne sur toi ?

Abby éclata de rire et hocha la tête.

— Je ne suis pas aussi naïve. En fait, cette soirée m'offre l'occasion d'observer le véritable milieu de l'import-export. Quelques heures en compagnie de lord Smythe et de ses puissants clients seront plus enrichissantes qu'une année de séminaires à l'université, ou bien que cinq années passées derrière le comptoir d'un endroit comme La Tasse et La Soucoupe. C'est ainsi que les gens riches et célèbres gèrent leurs affaires !

— Bon, d'accord, convint Dee. Mais fais attention. Les riches ne vivent pas au même rythme que nous, et bien souvent leur fortune ne leur apporte que des ennuis.

Abby enfila une paire d'escarpins beiges, et elle examina l'effet produit.

— Que disais-tu ? demanda-t-elle d'un air absent.

— Ne t'engage pas à donner plus que ce que tu as, répondit Dee, en lui lançant un regard entendu.

Abby éclata de rire.

— En d'autres termes, je ne dois pas coucher avec l'un des clients de Smythe pour l'inciter à signer un contrat, c'est bien cela ? Ne t'inquiète pas, c'est hors de question.

— Et avec Smythe, alors ? Il m'a l'air plutôt appétissant...

Réfléchissant à cette nouvelle et intéressante éventualité, Abby soupira.

— Il est peut-être séduisant, mais M. le Comte a un ego surdimensionné et une attitude prétentieuse qui ferait rougir de honte la monarchie britannique. Pas de danger que je sorte avec lui.

— Bien, murmura Dee, en attrapant une robe-fourreau de couleur turquoise qui était posée sur le lit. Celle-ci.

— Tu es sûre ?

En fait, la question d'Abby s'adressait à elle-même... Avait-elle réellement envie de quitter, ne serait-ce que l'espace d'une soirée, son univers rassurant et banal, pour boire des cocktails et parler affaires avec des gens qui gagnaient dix, voire cent fois plus qu'elle ?

Puis, elle se remémora l'imposante présence de Smythe, la façon dont il l'avait physiquement empêchée de quitter la salle de réunion tant qu'elle n'avait pas accepté de revenir. Il aurait tout aussi bien pu l'attacher avec des menottes à l'un des meubles ! Pourtant, aussi étrange que cela puisse paraître, l'agressivité dont il avait fait preuve l'avait troublée. Mais maintenant, elle se demandait s'il était raisonnable de laisser quelques agréables frissons l'emporter sur son bon sens.

Il était encore temps de faire machine arrière. Après tout, elle ne lui devait rien. Elle pouvait simplement se réfugier dans le cocon sécurisant qu'elle avait tissé pour elle-même dans la petite boutique de quartier, à deux rues du campus.

Pourtant, quelque chose l'attirait inexorablement vers les bureaux situés au quinzième étage d'un immeuble surplombant Lake Shore Drive et les eaux miroitantes du lac Michigan. Et elle sut qu'elle le rejoindrait.

Elle ne viendrait pas. Matthew en était intimement persuadé. Malgré la promesse qu'elle lui avait faite, la pauvre fille avait pris peur. Il aurait peut-être dû lui proposer plus d'argent, pensa-t-il en faisant les cent pas devant les portes en cuivre de l'ascenseur. Deux de ses invités et leurs compagnes étaient déjà arrivés, et il les avait conduits dans la salle de réunion.

La sonnerie de l'ascenseur tinta et les portes s'ouvrirent. Ravalant sa mauvaise humeur, il afficha un sourire crispé pour accueillir ses derniers invités. Alors qu'il s'apprêtait à s'avancer pour les saluer, la vision qui s'offrit à lui manqua le faire défaillir.

La température extérieure étant douce, Abigail ne portait ni châle ni étole. La peau laiteuse de ses épaules nues était parsemée de pâles taches de rousseur, et la robe-fourreau, sans bretelles, semblait tenir sur son corps comme par magie. Elle épousait parfaitement ses courbes, mais elle n'était pourtant ni trop moulante ni vulgaire. La façon du vêtement était trop simple pour avoir été dessinée par un grand couturier, et il avait certainement été cousu par Abby. Mais la superbe couleur turquoise du tissu mettait magnifiquement en valeur les cascades de cheveux roux qui caressaient ses épaules et entouraient son visage d'ange. Matt aima immédiatement cette vision. Ainsi que tout ce qu'il imagina dissimulé sous la robe...

Abby sortit de l'ascenseur et le regarda en soulevant un sourcil, comme pour dire : « Eh bien, quoi ? Me voilà. »

— Vous êtes en retard, lui fit-il remarquer d'un ton bourru. Quatre de mes invités sont déjà arrivés.

— Que faites-vous là, alors ?

« Je vous attendais, voyons ! » faillit-il rétorquer, mais il s'abstint.

En effet, il ne voulait pas suggérer qu'il avait douté de sa venue. Se postant à côté d'elle, il attrapa la main de la jeune femme pour la poser au creux de son bras. Elle se raidit immédiatement.

— Du calme. C'est seulement pour la forme.

— La forme ? répéta-t-elle en lui adressant un regard soupçonneux.

— C'est plus simple pour moi si mes invités supposent que mon hôtesse est aussi...

Ma maîtresse. Mais pourquoi est-ce que ces mots lui étaient venus si spontanément à l'esprit, alors que d'autres, nettement moins évocateurs, auraient tout aussi bien convenu ?

— Que nous sommes...

— Un couple ? avança-t-elle timidement.

— Exactement. J'aime être libre de parler affaires avec eux sans avoir besoin de flirter.

— Et repousser les avances de clientes ou d'amies de clients un peu trop entreprenantes vous pose un réel problème ? demanda-t-elle avec un petit sourire narquois.

Venant de sa part et présentée de cette manière, l'idée avait franchement l'air ridicule. Mais pourtant, il s'était parfois retrouvé dans des situations embarrassantes à cause de l'attraction sensuelle démesurée qu'il exerçait sur les femmes. Les affaires, c'était les affaires, et si le sexe tenait aussi une place dans sa vie, il se refusait à mélanger les deux.

— Si vous faites la maligne, gronda-t-il, je ne veux pas de vous ici.

Abby redressa la tête avec orgueil et s'arrêta net, l'obligeant lui aussi à s'arrêter.

— Mais c'est vous qui avez abordé ce sujet, lord Smythe. Il faut bien que je connaisse quelques détails sur vous si je suis censée être votre petite amie.

Et elle lui lança un regard rempli de défi avant de se radoucir.

— Vous étiez sincère... au sujet des cinq cents dollars ?

— Bien entendu.

Satisfaite, elle hocha la tête.

Que le fait de jouer à sa petite amie l'espace d'une soirée exigeât une rémunération aussi substantielle ne sembla nullement perturber lord Smythe. « De toutes les façons, je n'ai jamais aimé les rousses ! » pensa-t-il. Pourtant, il n'en avait encore jamais rencontré qui fût aussi belle que celle-ci.

Mais il chassa vite cette pensée de son esprit. Ils étaient là pour travailler !

— Il y a deux ou trois points que vous devez savoir avant de pénétrer dans cette pièce.

Il prit une profonde inspiration et fixa le joli visage, qui était solennellement tourné vers le sien.

— L'homme un peu corpulent s'appelle Ronald Franklin, de...

— Franklin & James, les boutiques implantées dans tous les centres commerciaux du pays ? demanda-t-elle dans un souffle.

— En personne. Lui et sa femme n'aiment pas être bousculés. Pas un mot sur les produits, les achats ou les stratégies marketing. Contentez-vous de leur faire la conversation, laissez-les manger et boire ce dont ils ont envie. Ils viennent juste d'être grands-parents, et cela peut vous fournir une bonne entrée en matière.

Elle hocha la tête et lui lança un regard qui lui sembla légèrement réprobateur, mais il ne voyait pas ce qu'elle pouvait trouver de répréhensible à ce qu'il venait de lui dire.

— Et l'autre couple ?

— Ted Ramsey et son amie.

Elle n'eut pas besoin de parler. A la façon dont ses yeux s'animèrent, il devina qu'elle avait compris. Décidément, elle était douée. Très douée.

— Le nabab des casinos, murmura-t-elle au bout d'un moment.

— Nabab ?

Ce titre lui parut un peu trop lyrique pour un spéculateur immobilier qui avait commencé sa carrière comme simple propriétaire foncier à Brooklyn et qui construisait désormais des palaces et des casinos clinquants à Las Vegas ou Atlantic City. Pour Matt, ce type avait surtout jeté son argent par les fenêtres et avait eu de la chance. Mais une fortune rapide qui ne reposait sur aucune base rationnelle durait rarement longtemps.

— Appelez-le comme il vous plaira. Le fait est qu'il souhaite installer des boutiques de produits de luxe étrangers dans ses casinos, et les études marketing prévoient des volumes de ventes faramineux. J'aimerais beaucoup compter parmi ses fournisseurs.

— Cela se comprend. Comment dois-je l'approcher?

— Ne l'abordez pas, à moins de ne pouvoir faire autrement. Soyez polie, mais pas de petits sourires entendus, sinon nous pourrions perdre le contrat. Il est venu avec sa nouvelle petite amie. Il est fou d'elle mais selon la rumeur, elle est du genre jaloux. Occupez-vous plutôt d'elle. Donnez-lui l'impression qu'elle est une reine, et évitez de croiser son regard à lui.

Elle soupira légèrement et hocha la tête.

— Mais comment êtes-vous au courant de tout cela? Vous employez des agents de la CIA au noir?

— Non, rien de la sorte.

Mais il n'avait pas l'intention de lui révéler ses méthodes de travail.

— Venez, suivez-moi, dit-il en lui tapotant le bras. Les Dupré ne devraient plus tarder. Mme Dupré possède une chaîne de magasins en Nouvelle-Angleterre.

Cette fois, elle se laissa guider pour traverser la pièce. Les deux couples se tournèrent dans leur direction, et Matt procéda aux présentations. Au bout de quelques minutes, Abby entraîna les jeunes grands-parents en direction du buffet. Matt remarqua qu'elle se servait généreusement et il comprit soudain qu'elle n'avait certainement pas eu le temps de dîner chez elle avant de revenir ici. Habituellement, il n'aimait pas trop que ses employés mangent devant les invités, mais il constata que les Franklin semblaient suivre l'exemple de la jeune femme, se servant à leur tour copieusement. Peut-être un signe de bon augure...

Il accorda ensuite son attention à Ramsey et son amie. Il était petit et massif et Matt n'appréciait ni ses manières ni sa façon de mener ses affaires, mais cela n'avait pas grande importance. Il souhaitait malgré tout le compter parmi ses clients, et Ramsey avait dû le deviner, car il se mit à parler argent tandis que sa princesse blonde restait bouche bée à entendre les chiffres énoncés par les deux hommes.

Vingt minutes plus tard, les Dupré firent leur entrée. Matt ne voulait pas laisser Ramsey car il avait l'impression qu'ils étaient sur le point de conclure un accord, mais il ne pouvait pas non plus ignorer les nouveaux arrivants. Sur un petit signe de sa part, Abby s'excusa élégamment auprès des Franklin pour aller à leur rencontre. Au bout de quelques minutes, les quatre hôtes étaient réunis autour du bar, et les deux femmes riaient joyeusement des propos d'Abby. Les hommes, quant à eux, observaient la jeune femme avec une certaine admiration et Matt en fut impressionné.

Ramsey annonça qu'il devait partir car il avait un autre rendez-vous. A en juger par la lueur polissonne qui pétillait au fond de ses petits yeux noirs quand il regardait sa voluptueuse compagne, Matt eut le sentiment que le rendez-vous en question devait plutôt se dérouler dans un lit que dans un bureau.

Après les avoir salués, Matt vint se poster derrière Abby et il posa une main sur sa taille. Cette dernière ne sursauta pas, et elle se contenta de se retourner vers lui en souriant.

— J'ai une discussion fort sympathique avec nos invités. Savais-tu que Caroline peint des aquarelles ? C'est une artiste remarquable.

— Oh non, protesta Mme Franklin, qui semblait aux anges. Je ne suis qu'un amateur.

Matt sourit poliment... puis poussa un grognement de douleur en sentant un coude s'enfoncer dans ses côtes.

— J'adorerais voir vos œuvres, dit-il entre ses dents.

Il jeta ensuite un regard à Abby, pour s'assurer qu'il avait bien saisi le message.

Apparemment oui, car elle avait l'air satisfait.

— Je serais vraiment flattée, roucoula Mme Franklin. Vous rendez-vous souvent sur la côte Ouest ?

— Je possède une maison à Los Angeles, répondit Matt.

— Ainsi qu'un appartement à New York, ai-je entendu dire, ajouta M. Franklin avec un clin d'œil. Et une propriété aux Bermudes. Le comte a des goûts très éclectiques.

Matt hocha la tête.

— J'aime bien proposer différents lieux de rencontre à mes partenaires commerciaux. Vous devriez venir passer une semaine aux Bermudes, en septembre. C'est une saison magnifique là-bas, et la plupart des touristes sont repartis.

Il avait aussi une propriété en Angleterre, que lui avait donnée son père. Mais il n'était pas retourné dans son pays natal depuis son vingt et unième anniversaire.

Mme Franklin adressa un sourire plein d'espoir à Abby.

— Et aurons-nous le plaisir de vous y retrouver, ma chère ? Ronald déteste le shopping, mais moi j'adore avoir de la compagnie.

Ne sachant trop quoi dire, Abby hésita.

— J'essaie de la convaincre de prendre un peu de vacances, répondit rapidement Matt, tout en serrant la main d'Abby. N'est-ce pas, chérie ?

— Il peut être très convaincant, ajouta-t-elle avec un sourire timide.

Aux alentours de 11 heures, les invités prirent congé, et Matt appela son chauffeur pour qu'il reconduise les deux couples à leurs hôtels. Lorsqu'il revint dans la salle de réunion après les avoir accompagnés jusqu'à l'ascenseur, il trouva Abby en train d'envelopper les restes et de ranger le buffet.

— Laissez donc, lui dit-il.

— Mais la nourriture va s'abîmer si on ne la met pas au frais.

— Les femmes de ménage seront là dans quelques heures. Elles jetteront tout à la poubelle.

— Quoi ? Vous allez jeter tout ça ? demanda-t-elle, les yeux arrondis d'étonnement. Mais il doit y en avoir pour des centaines de dollars !

— Prenez ce que vous voulez, si cela vous fait plaisir.

— Vraiment ?

Sa réaction franche et naturelle était charmante. On aurait cru une enfant qui s'émerveillait de recevoir un cadeau.

Pourtant, ce soir, elle avait fait preuve de maturité, d'intelligence, et même d'une certaine habileté avec les invités. Bien qu'il ne l'ait pas entendue une seule fois chanter les louanges de ses produits, il avait l'intuition que son directeur du marketing recevrait des commandes dès le lendemain.

Il se rapprocha d'elle, et l'observa attraper un sac qu'elle remplit de tranches de viande, de fromage et de pâtisseries qu'elle venait d'emballer.

— Merci, c'est vraiment très gentil de votre part, murmura-t-elle tout en s'affairant. Ma colocataire et moi aurons de quoi manger pendant une semaine.

— Ah oui ?

Il aimait son odeur légère et fraîche.

Il était prêt à parier qu'elle adorait les bains moussants interminables. Soudain, l'image excitante des longues jambes d'Abby mêlées aux siennes sous un nuage de mousse s'imposa à son esprit et enflamma ses reins. Il recula brusquement, s'efforçant de rester terre à terre. Il sortit alors cinq billets de cent dollars de son portefeuille.

Lorsqu'elle se retourna, le sac de victuailles serré contre sa poitrine, son regard s'arrêta sur la main de Matt.

— Oh... Vous savez, vous n'êtes pas obligé de...

— Prenez ça.

Elle avait certainement besoin de cet argent, pensa Matt. En effet, combien gagnait-elle, avec son petit emploi de vendeuse ? Certainement pas beaucoup plus que le salaire minimum.

— J'ai vraiment passé une excellente soirée, et je ne pense pas mériter autant d'argent, lord Smythe.

— Matt, répondit-il malgré lui.

Elle fronça les sourcils.

— D'accord. Matt. Je suis sûre que cette soirée m'a été aussi profitable qu'à vous-même. J'ai été ravie de rencontrer vos invités... et en plus j'ai droit à un bonus, ajouta-t-elle, en désignant le sac en papier.

— Prenez ce maudit argent, répéta-t-il, d'une voix un peu plus sourde.

Elle lui lança un regard craintif, tel un petit animal essayant d'anticiper le prochain mouvement de son prédateur.

— Bon, d'accord, accepta-t-elle, en tendant la main pour attraper les billets.

Leurs doigts se frôlèrent, et Matt éprouva une sensation de chaleur diffuse. Cela ne dura que l'espace d'un instant, mais il était persuadé qu'elle n'était pas le fruit de son imagination. De plus, il crut voir la bouche d'Abby trembler légèrement. Le regard de Matt se posa sur ses épaules nues, et il fut pris de l'envie irrépressible d'y déposer ses lèvres.

— Je ferais mieux de rentrer, murmura-t-elle.

— Vous avez une voiture ?

— Non, mais je prendrai un taxi.

— Mon chauffeur sera bientôt de retour. Nous vous déposerons chez vous.

Il crut qu'elle allait protester une nouvelle fois, mais les lèvres d'Abby s'étirèrent dans un léger sourire, et elle acquiesça de la tête.

Il avait certainement en face de lui la femme la plus énigmatique qu'il eût rencontrée depuis longtemps...

2.

La limousine de lord Matthew Smythe n'avait rien de comparable avec ces véhicules extravagants que les étudiants louent pour aller chercher leur petite amie, le soir du bal de fin d'année. C'était sans conteste le véhicule d'un homme d'affaires. Il ne pouvait accueillir que six passagers à l'arrière, et il était équipé de tout le matériel sophistiqué nécessaire à un P.-D.G. : un téléphone de voiture, un ordinateur portable avec modem intégré pouvant aussi servir de télécopieur, et une télévision miniature pour suivre les dernières nouvelles du monde financier et politique. Le lecteur de disques laser et le petit bar constituaient les seules concessions faites à l'agrément. Du reste, Matthew devait reconnaître que ces gadgets s'étaient avérés bien pratiques lorsqu'il s'était retrouvé en compagnie d'une jolie femme qui était d'humeur à parler d'autre chose que d'affaires...

Noire, à l'intérieur comme à l'extérieur, telle une cachette tapissée de cuir, la limousine semblait glisser souplement et silencieusement dans la ville comme sur une autoroute sans fin. Matt la préférait à n'importe quelle autre de ses résidences parce qu'elle était à la fois sobre, fonctionnelle, mobile et superbe. C'était le seul endroit où il pouvait réfléchir et travailler en toute quiétude, ou bien simplement s'isoler du monde extérieur.

Abby s'assit tout au fond, à l'extrémité de la banquette en

forme de demi-lune, bien décidée à regarder par la vitre. Elle semblait si jeune et si vulnérable et Matt sentait bien qu'il lui faisait un peu peur, sans pouvoir dire pourquoi.

— Vous vous en êtes très bien sortie ce soir, murmura-t-il, après que la limousine eut démarré.

La jeune femme esquissa un sourire timide, sans pour autant détourner le regard de la vitre.

— Merci.

— J'ai besoin d'une hôtesse à temps plein.

Elle se retourna enfin. Ses yeux bruns couleur café paraissaient encore plus profonds, plus foncés, à l'intérieur du véhicule.

— S'agit-il d'une offre d'emploi ?

— Oui.

Il avait toujours su juger la valeur des gens, et il savait d'instinct qu'Abby serait excellente.

— Et en quoi consiste le poste ? s'enquit-elle, l'air plus pensive que surprise.

— A accueillir et recevoir mes invités en ma compagnie, expliqua-t-il.

Inclinant joliment la tête sur le côté, elle lui adressa un regard étonné.

— C'est loin de constituer un travail à temps complet.

— Je vous demanderais aussi de me suivre lors de mes différents déplacements.

— Vous avez aussi des bureaux à Los Angeles, à New York et aux Bermudes ?

— La villa des Bermudes n'est pas à proprement parler un bureau, bien que j'y aie certainement signé autant de contrats que n'importe où ailleurs. Mes exportateurs japonais et allemands l'apprécient tout particulièrement.

Une petite flamme d'intérêt à peine perceptible dansa tout au fond du regard d'Abby.

— Et vous espérez que je quitte mon emploi et que je m'envole avec vous, pour vous tenir compagnie lors de vos soirées mondaines, c'est bien cela ?

Il se crispa, prêt à justifier sa façon de mener les affaires.

Non, il ne gagnait pas sa vie en organisant des soirées mondaines. Au contraire, il avait travaillé dur pour arriver là où il en était aujourd'hui. Toutefois, il jugea qu'il n'avait pas à entrer dans un débat concernant sa stratégie commerciale avec une petite marchande de cookies.

— J'espère surtout qu'une jeune femme intelligente comme vous saura faire le choix le plus intéressant pour sa carrière, rétorqua-t-il calmement.

Si cette réponse ne la convainquait pas, c'est qu'il s'était trompé sur son compte.

Elle le fixa longuement, et il pouvait presque lire dans son regard les pensées qui défilaient à toute allure dans son esprit.

— Si j'ai bien compris ce que Paula m'a raconté, toutes les hôtesses que vous avez embauchées jusqu'à maintenant ne sont pas restées longtemps.

— C'est de toute évidence qu'elles n'étaient pas faites pour le poste.

— Mais moi, je le suis ?

— Je le crois, en effet.

Elle hocha la tête, mais garda ses réflexions pour elle. Matt n'avait jamais apprécié qu'on le fasse attendre, et voilà qu'elle jouait avec ses nerfs. S'il s'était écouté, il l'aurait secouée pour lui soutirer sa réponse, mais il était un gentleman...

— Et comment puis-je avoir la certitude que je ne vais pas me retrouver sans emploi dans quelques semaines ? finit-elle par demander.

— Réfléchissez, Abby. Qu'allez-vous apprendre en servant des cappuccinos à des étudiants ? Moi, je vous offre la chance de rencontrer des personnes qui dirigent les entreprises les plus prospères et les plus prestigieuses du monde.

— Ça, je le sais ! lâcha-t-elle. J'ai seulement besoin de savoir à quoi je m'engage. Et je voudrais un contrat... de un an.

— Accordé.

Elle cligna des yeux, apparemment surprise d'avoir obtenu si facilement ce qu'elle désirait.

— Et mes fonctions seront précisées et décrites clairement.

Bien qu'elle essayât de donner l'impression d'être parfaitement à l'aise, assise sur le siège de cuir noir de la limousine, elle ne paraissait pas vraiment dans son élément.

— Vos responsabilités seront listées dans leurs moindres détails, concéda-t-il.

Hors de question de lui donner satisfaction en mentionnant ces fameuses activités extra-professionnelles qui la rendaient si nerveuse puisque, de toutes les façons, il n'avait jamais batifolé avec aucune de ses employées.

Toutefois, aujourd'hui, c'est une éventualité qu'il trouvait plutôt tentante... Abby exhalait un parfum merveilleux. Et la nuance si particulière de ses cheveux roux lui aurait presque fait oublier l'existence des brunes ou des blondes. Il émanait d'elle une beauté radieuse.

— Parce qu'il est hors de question que je couche avec vous, monsieur Smythe.

« Bien, pensa-t-il, nous y voilà. » Maintenant, il lui fallait faire comme si cette idée ne l'avait même pas effleuré.

— Je n'ai aucune envie de coucher avec vous, mademoiselle Benton. Et je n'exigerais jamais d'une femme qu'elle ait des relations sexuelles avec moi en échange d'un emploi dans ma société, affirma-t-il avec beaucoup de précautions.

En effet, aucun chef d'entreprise, de nos jours, ne souhaitait être convoqué devant un tribunal pour harcèlement sexuel.

Visiblement satisfaite, elle hocha la tête. Mais il n'aurait su dire si elle le croyait vraiment ou non. Et lui-même n'était pas franchement convaincu par ce qu'il venait de lui assurer. Plus elle évoquait le sujet, et plus la perspective de coucher avec Abigail Benton lui paraissait séduisante.

— Et quel sera mon salaire ? demanda-t-elle.

Matt réprima un sourire satisfait. Elle était donc enfin prête à parler affaires... Comme chaque fois qu'il affrontait un adversaire de sa trempe, il se réjouissait de livrer bataille. Attrapant un stylo et un papier du bloc posé à côté du téléphone de voiture, Matt nota un chiffre.

Délicatement, elle prit le papier, puis elle le colla presque contre son nez.

— Cette somme est-elle censée couvrir mes frais dé déplacement ?

— Non, bien évidemment.

— Ma garde-robe est assez limitée, et je ne sais pas si j'ai les moyens de m'habiller comme vous le souhaiteriez, continua-t-elle dans un soupir.

Oh, la barbe ! pensa-t-il. Il griffonna alors un second chiffre, incluant une généreuse indemnité vestimentaire. Elle prit le papier.

Ses yeux s'arrondirent, puis elle soupira une nouvelle fois.

— Je suis désolée. Votre proposition est plus que tentante. Mais, pour être honnête, il ne s'agit pas d'un problème d'argent. C'est plutôt que je n'ai pas l'impression que le poste soit sûr. Or, c'est ce que je recherche avant tout actuellement, commença-t-elle en lui adressant un regard suppliant. Je souhaite mettre de l'argent de côté pour ouvrir ma propre boutique de produits gastronomiques sur les bords du lac. Et, voyez-vous, je n'ai jamais eu envie de quitter Chicago. C'est ma ville. Je vous remer...

Exaspéré, il écrivit une troisième somme, représentant le double de sa première proposition. Si cet argent ne représentait pas grand-chose pour lui, il savait en revanche que le chiffre paraîtrait exagérément élevé à Abby. Après lui avoir tendu le papier, il s'adossa contre la banquette et attendit avec une impatience presque enfantine que le visage de la jeune femme passât de la frustration à l'étonnement.

— Lord Smythe !

— Matt.

Elle soupira, et ses yeux semblèrent lui demander de comprendre son hésitation sans exiger de plus amples explications.

— Bon sang, murmura-t-il.

Il ne comprenait que trop bien. Elle voulait réussir, mais sans prendre de risques. Et même lorsque l'occasion se présentait, elle avait peur d'obtenir ce qu'elle désirait. « Abigail, pensa-t-il, tu as besoin d'aller voir ce qui se passe en dehors de ta cage dorée. » Quant à lui, il avait besoin de quelqu'un comme elle pour continuer à gérer ses affaires comme il l'entendait. Des concurrents comme Joseph Cooper Imports le talonnaient depuis des années et il était prêt à tout pour les tenir à une distance respectable.

Il écrivit un dernier chiffre sur un quatrième morceau de papier.

— Dernière offre, annonça-t-il entre ses dents. Ne me répondez pas tout de suite. Attendez demain matin.

Comme elle s'apprêtait à parler, il mit un doigt sur ses lèvres pour la faire taire.

— Parlez de mon offre avec votre colocataire, vos parents, votre confesseur... Peu importe. Et appelez-moi demain matin pour me donner votre réponse. Si vous souhaitez vraiment posséder votre propre boutique, ou même une chaîne de boutiques, travailler avec moi représente une chance incroyable.

Bouche bée, elle fixait le chiffre qui était inscrit sur le morceau de papier.

— Dites-vous que la pire chose qui puisse vous arriver, c'est que j'exige que vous travailliez encore plus dur que vous ne l'avez jamais fait. Mais d'un autre côté, en travaillant pour moi, vous réunirez l'argent nécessaire à votre projet quatre fois plus vite qu'ailleurs. Et le métier n'aura plus aucun secret pour vous.

La limousine s'immobilisa, et le chauffeur descendit pour ouvrir la portière. Abby sortit en tenant tous les papiers serrés dans une main, son sac et les restes du buffet dans l'autre. Incrédule, elle observait Matt comme si elle espérait découvrir au cours de ces dernières secondes le tour qu'il était en train de lui jouer.

— Vous n'avez rien à craindre, mademoiselle Benton.

J'ai besoin de m'entourer de personnes intelligentes et sérieuses. Et je pense que vous en êtes une.

Il lui lança un regard perçant, pour s'assurer qu'elle le prenait bien au sérieux.

— Appelez-moi. C'est votre avenir qui est en jeu.

Matt fit un signe de la main au chauffeur, qui referma la portière.

Bien, pensa-t-il en souriant. Il avait été honnête avec elle, à un détail près : la perspective qu'ils couchent ensemble était tentante. Très tentante.

Comme la limousine redémarrait, il s'abandonna à cette pensée, la laissa vagabonder en toute liberté, tel un cerf-volant dont la ficelle venait de se briser. Mais là, c'est lui qui avait coupé le lien. Si elle acceptait de travailler pour lui, il ne pouvait pas se permettre d'en faire sa maîtresse. Elle lui serait en effet beaucoup plus utile dans le contexte professionnel, et il était avant tout un homme d'affaires.

Abby ne ferma pas l'œil de la nuit, et ce n'est que sur le matin, alors que l'aurore commençait à poindre, qu'elle sombra dans un sommeil agité. Lorsque le réveil sonna, elle appuya une fois, deux fois sur le bouton d'arrêt, puis elle finit par lancer l'horrible chose contre le mur avant de s'écrouler sur son lit en enfouissant la tête sous son oreiller. Peu importe l'heure, il fallait qu'elle dorme !

— Alors, comment s'est passée la soirée ? demanda une voix guillerette, qui lui parvint malgré tout jusqu'aux oreilles.

Abby souleva furtivement une paupière. Il s'agissait de l'impitoyable Dee, qui se tenait sur le seuil de la chambre, une tasse de café à la main.

— Fiche-moi la paix.

— Nous sommes samedi, et tu es censée être à la boutique à 9 heures. Tu as oublié ?

— Oh, mon Dieu, c'est vrai. Où avais-je la tête ?

Abby repoussa l'oreiller et se massa les tempes, éblouie par la lumière du soleil.

— La soirée a été si épouvantable que cela? voulut savoir Dee. Des gens ennuyeux à mourir, de la mauvaise nourriture et le patron qui t'a fait des avances. Ma pauvre...

— Pas tout à fait, répondit Abby, en s'asseyant dans le lit. Des gens fascinants, un buffet délicieux, et Smythe m'a proposé un emploi dont le salaire équivaut à quatre fois ce que je gagne actuellement.

— Quelle poisse, commenta Dee, dont les yeux pétillaient de malice.

— Ça suffit. Tu n'es pas drôle.

— Est-ce que j'ai ri? Enfin, Abby, on se croirait dans un rêve, et toi tu restes complètement prostrée au lieu de sauter de joie sur le lit?

Incapable d'expliquer ce qu'elle ressentait, Abby la regarda en roulant les yeux.

— Je n'ai pas confiance en lui, et j'ai peur de ne pas prendre la bonne décision.

Dee vint alors s'asseoir à côté d'elle.

— Raconte-moi tout.

Après avoir avalé une gorgée du café de son amie, Abby tenta de trouver les mots pour décrire ses sentiments.

— Il est... Je ne sais pas... Irrésistible. Si tu le voyais, tu comprendrais ce que je veux dire. Matthew Smythe n'a qu'à pénétrer dans une pièce pour que tu devines immédiatement qu'il en ressortira après avoir obtenu tout ce qu'il voulait. Je suis prête à parier que la semaine prochaine, il va signer des contrats avec les trois grosses légumes qu'il avait invitées hier soir. Et lorsqu'il m'a raccompagnée dans sa limousine...

— Sa limousine? répéta Dee, en arquant ses sourcils couleur ébène.

— Oui, sa limousine. Lorsqu'il m'a reconduite à la maison après le départ de ses invités, il m'a demandé de venir travailler pour lui. Comme je n'ai pas accepté d'emblée, il a insisté. Il m'a dit que c'était strictement professionnel, et que l'idée même d'une aventure était à exclure.

— C'est ce qu'ils disent tous, répondit Dee, songeuse.

— On aurait vraiment cru qu'il était sincère. Et c'est ce qui me dérange...

— Tu veux dire que tu regrettes qu'il ne t'ait pas fait d'avances ?

— Bien sûr que non... Du moins, je ne le pense pas. Mais lui n'avait pas l'air le moins du monde... déçu.

Abby agita ses mains dans les airs.

— Je ne sais pas comment t'expliquer. Lorsque je me retrouve face à lui, je me méfie de moi-même. Je suis comme ces vaisseaux spatiaux que l'on voit dans les films de science-fiction : je perds mon bouclier de protection.

Dee éclata de rire.

— Eh bien, l'heure est grave !

— Le plus énervant, c'est qu'il s'agit d'un travail de rêve, qui m'apporterait une aide inestimable pour mener mon projet à bien. Je n'aurais qu'à travailler pour Smythe pendant, disons deux ou trois ans... et je disposerais de mon apport financier et de l'expérience nécessaires pour ouvrir ma propre boutique.

— Mais ?

— Mais je devrais rester sur mes gardes.

— Et après tout ce temps, tu n'en as pas franchement envie, n'est-ce pas ?

Cette expression « après tout ce temps » lui procura un pincement au cœur, car Abby savait bien qu'elle ne faisait pas référence à sa rencontre avec lord Matthew Smythe. Elle ne pouvait que désigner les autres hommes qui avaient compté dans sa vie, et qui s'étaient achoppés à son souhait obstiné de rester vierge jusqu'au mariage. Richard Wooten, son dernier ami en date, avait presque attendu jusqu'à l'autel. Presque...

Lentement, Abby hocha la tête. Elle admettait seulement maintenant ce qu'elle avait ressenti la veille au soir.

— Si tu savais combien il est beau et à quel point il me trouble, dit-elle d'une voix hésitante. Et ce n'est pas tout.

— Je t'écoute.

Sans quitter Abby des yeux, Dee continua à boire son café.

— Je ne suis pas sûre de le croire, quand il me promet que nos relations resteront strictement professionnelles. Je sais que j'ai l'air de me contredire — à cause de ce que je viens de t'avouer au sujet de l'attirance qu'il exerce sur moi. Mais je persiste à me méfier : s'il me ment à propos d'une éventuelle aventure entre nous, comment puis-je lui faire confiance pour le reste ? Par exemple, lorsqu'il me promet de ne pas me renvoyer au bout de quelques mois...

Dee haussa les épaules.

— Bien vu. Tu travaillerais ici, à Chicago ?

— Oui, mais pas en permanence.

Faisant la moue, Abby jeta un regard à sa collection de petits animaux en cristal, qui se trouvait sur la commode. Elle l'avait commencée à son entrée au collège, et ses parents continuaient à la compléter pour chacun de ses anniversaires ainsi qu'à Noël. Sa collection l'avait toujours suivie partout, y compris lorsqu'elle était pensionnaire.

— Il voyage beaucoup, possède des bureaux sur la côte Ouest, à New York, et il reçoit aussi ses clients dans sa villa des Bermudes.

— Pas possible...

— Je te jure que c'est vrai. Je serais censée l'accompagner, préparer ses réceptions et ses dîners, et jouer à l'hôtesse partout où il ira.

Dee hocha solennellement la tête.

— Quelle vie épouvantable...

Agitant un doigt accusateur, Abby lança un regard furieux à sa colocataire.

— Tu te moques de moi.

— Moi ? demanda Dee dans un clin d'œil.

Avant qu'Abby n'ait eu le temps de la frapper d'un coup d'oreiller, la sonnerie du téléphone retentit. Tendant le bras, elle décrocha l'appareil.

Immédiatement, une voix gronda à l'autre bout de la ligne :

— Il me faut votre réponse.

— Lord Smythe !

Malgré elle, Abby ramena pudiquement le drap sur sa fine chemise de nuit... avant de se sentir ridicule sous le regard railleur de Dee.

— Je n'ai pas encore vraiment eu le temps d'y réflé...

— La nuit porte conseil, déclara-t-il. J'ignore dans quel état d'esprit vous vous trouvez actuellement, mais cela ne servirait à rien d'attendre vingt-quatre heures de plus.

Désespérée, Abby chercha du réconfort du côté de Dee, mais cette dernière lui adressa un clin d'œil, l'air amusée... et ne lui fut d'aucun secours.

Abby s'éclaircit la gorge.

— Travailler pour vous supposerait de nombreux changements dans ma vie. Comme je vous l'ai dit, je n'ai jamais envisagé de quitter Chicago et...

— Vous avez de la famille ici ? demanda-t-il.

Etait-ce son imagination qui lui jouait des tours, ou bien avait-elle perçu une intonation sympathique dans la voix de Matt ?

— Pas en ville, mais mes parents habitent à une centaine de kilomètres. Et je n'ai ni frère ni sœur.

— Vos parents sont en bonne santé ?

— Oui.

— Vous avez un petit ami ?

— Non, répondit-elle sans même y réfléchir, alors qu'au cours d'un entretien d'embauche, elle n'aurait pas hésité à rétorquer que cela ne regardait qu'elle.

— Pas de relation sérieuse, murmura-t-il. Et d'après ce que je comprends, vous n'avez aucun engagement personnel.

Qu'entendait-il par « d'après ce que je comprends » ? pensa-t-elle nerveusement.

— Alors, répondez-moi, Abby, demanda-t-il d'une voix profonde de baryton qui envoya des ondes de chaleur dans tout le corps de la jeune femme. Qu'est-ce qui vous retient dans cette ville ?

En effet, quoi ? se dit-elle. Peut-être le simple fait de n'avoir jamais envisagé de vivre ailleurs. Elle se sentait en sécurité à Chicago, à l'aise dans un environnement qui lui était familier. Chicago ne lui avait jamais paru être une grande ville, bien qu'elle ait grandi dans une ferme. Elle aimait les différents quartiers de cette ville, toujours balayée par les vents. Elle avait des amis dans Greektown, le quartier grec, faisait ses courses sur les marchés arabes ou dans les boulangeries juives, et elle dînait dans des restaurants polonais. Jamais elle n'aurait imaginé changer de cadre de vie, car tout ce qui suffisait à son bonheur se trouvait là.

Du moins, c'est ce qu'elle avait cru, jusqu'à aujourd'hui...

— Rien, chuchota-t-elle dans l'appareil. Rien ne me retient ici. C'est simplement chez moi.

Matthew resta un moment silencieux, et elle comprit que ce silence était délibéré, pour lui laisser le temps de considérer ce qu'elle venait de dire. Elle réfléchit, évalua les avantages et les dangers de la situation qu'il lui proposait. En effet, travailler pour Matthew Smythe comportait plus de risques qu'elle n'avait jamais souhaité en prendre, et elle sentit son estomac se nouer.

Dee lui donna un grand coup de coude. Abby leva les yeux vers son amie, et elle lut sur les lèvres de cette dernière les mots : « Accepte ! Accepte ! »

Prenant une profonde inspiration, Abby dit alors lentement :

— Il faut que j'avertisse mon patron.

— Je veux que vous commenciez aujourd'hui.

— Mais je...

— Lundi matin, nous partirons pour New York. Vous aurez besoin du week-end pour vous familiariser avec la gamme de nos produits et les projets sur lesquels nous travaillerons. Je veux que vous vous présentiez à mon bureau à midi, aujourd'hui.

Posant une main sur le combiné, Abby chuchota :

— Je suis en train de négocier avec Attila le Hun !

Dee émit un petit rire.

— Ma pauvre chérie ! Tu sais bien que l'agressivité est dans leurs gènes.

Ce n'était pas le cas de tous les hommes, se dit Abby. Ils n'étaient pas tous aussi arrogants ni enclins à faire valoir leur point de vue que cet aristocratique homme d'affaires. Son bon sens lui soufflait de répondre « non », ne serait-ce que pour le moucher. Mais en agissant de la sorte, elle ne punirait qu'elle-même. Il y avait en effet des centaines, voire des milliers de jeunes femmes prêtes à tout abandonner pour se mettre au service de Smythe, pour parcourir le monde et gagner un salaire démesuré par rapport à leur valeur réelle.

Au bout du fil, elle entendit une autre voix. Celle d'une femme. Immédiatement, Abby tendit l'oreille, mais elle ne put saisir ce qu'elle disait.

Ensuite, Matt reprit la communication, d'un ton nettement plus aimable.

— Si vous acceptez les termes de notre accord et si le salaire vous convient, Paula vous attendra au bureau pour tout vous expliquer. Il vous suffit de lui indiquer quelle heure vous convient le mieux, et elle fera en sorte d'être disponible.

On aurait dit un écolier qui récitait sa leçon. Donc, il y avait au moins une personne qui avait trouvé le moyen de le dompter. Intéressant, pensa Abby.

— Je ne peux pas démissionner de La Tasse et La Soucoupe sans avoir trouvé une remplaçante, répondit-elle prudemment. Si je trouve quelqu'un aujourd'hui pour prendre ma place le temps qu'une employée à temps complet soit embauchée, je viendrai aussi rapidement que possible à votre bureau. Sinon, je vous ferai savoir à partir de quand je serai disponible.

Matt raccrocha le téléphone et resta un moment à fixer l'appareil du regard, tout en se remémorant la conversation qu'il venait d'avoir. En fait, Abby n'avait pas réellement accepté le poste. Elle l'avait simplement informé qu'elle viendrait si et quand elle le pouvait. On aurait dit qu'elle avait engagé une partie de bras de fer avec lui, mais dans quel but ? Il lui avait toujours semblé que les rapports employeur/employé étaient clairement définis, et c'était lui le patron !

Une fois Paula sortie de la pièce, il se renversa dans son grand fauteuil de facture scandinave, posa les pieds sur son bureau et repensa à une scène à laquelle il avait assistée, alors qu'il faisait son jogging dans Lake Shore Park. Il parcourait ses huit kilomètres habituels lorsqu'il avait aperçu une petite fille qui savait à peine marcher, en maillot de bain au bord du lac. L'enfant testait la température de l'eau du bout des orteils, riait et s'enfuyait en courant lorsque des vaguelettes s'approchaient d'elle. Finalement, elle avait trouvé le courage de rentrer dans l'eau jusqu'aux chevilles, puis aux genoux, et enfin jusqu'à la taille. A ce moment, elle s'était retournée vers ses parents, qui s'amusaient à la regarder depuis le bord, et elle leur avait adressé un sourire triomphal.

Il ne doutait ni de la motivation d'Abby ni de son intelligence. Elle devait être une éternelle anxieuse.

Alors que pour lui, la prudence lui était complètement étrangère. Matt supposa que cette sorte d'insouciance lui venait du fait qu'il n'avait jamais eu à s'inquiéter d'un éventuel échec. En effet, la fortune de sa famille avait toujours constitué une excellente sécurité, et il devait sans nul doute partager ce sentiment avec ses frères. Pourquoi craindre de se tromper, alors qu'un confortable matelas de plusieurs millions de livres attendait sur un compte bancaire à votre nom, à Londres ? Que pouvait-il arriver ? Une faillite ? Auquel cas, il n'y avait plus qu'à se lancer dans une nouvelle aventure. Mais vous aviez toujours un toit au-dessus de votre tête et un repas dans votre assiette le jour suivant.

Peu lui importait de gagner encore plus d'argent. Matt aurait très bien pu se passer de sa fortune. Cette soif de gagner devait certainement plus à son envie de prouver à son père qu'il n'avait besoin ni de lui, ni de sa fortune d'aristocrate, ni encore de la propriété du sud de l'Angleterre qui accompagnait son titre. Du reste, le comte de Suffolk avait été le premier à montrer à ses fils qu'il n'avait pas besoin d'eux. Dès qu'il en avait eu l'âge, Matt avait quitté l'Angleterre pour émigrer aux Etats-Unis et réussir par lui-même — entièrement par lui-même — en laissant derrière lui l'argent, d'importantes relations sociales, et sa terre.

Abby, quant à elle, ne possédait rien du tout.

En réalité, elle lui rappelait Paula, même si cette dernière était plus vieille et déjà mère de deux garçons lorsqu'il l'avait engagée. A l'époque, Paula faisait ses courses une fois par mois puis elle faisait durer les provisions le plus longtemps possible. Elle payait toujours son loyer au dernier moment, déposant l'argent sur un compte-épargne pour grappiller quelques cents d'intérêt. Sa paie passait presque entièrement dans les factures et les achats indispensables. Elle lui avait même confié qu'elle dépensait le montant maximum mensuel autorisé par ses cartes de crédit avant qu'il ne l'embauche.

L'idée qu'Abby puisse jamais économiser suffisamment pour monter sa propre affaire était simplement ridicule.

Il y avait des milliers de personnes seules comme Paula et Abby, qui vivaient toujours sur la corde raide mais qui continuaient à rêver qu'un jour elles auraient remboursé toutes leurs dettes, et qu'elles pourraient même finir par acheter leur propre maison. Bien que ne se considérant pas comme un philanthrope, il aimait à croire qu'il offrait à chacun de ses employés une chance d'avoir une vie meilleure. Certains y parvenaient. D'autres passaient à côté...

Que déciderait Abby ?

Matt rangea deux dossiers dans sa serviette, demanda à ce que l'on avance sa voiture, puis il passa deux appels importants. Alors qu'il traversait la réception à grandes enjambées, Paula leva le nez de son bureau.

— Votre nouvelle assistante a appelé. Vous étiez déjà en ligne, alors j'ai pris le message. Elle arrivera vers 14 heures.

— Bien. Vous lui expliquerez tout ce dont nous sommes convenus?

Paula hocha la tête, mais elle lui adressa un regard étrange.

— Vous ne serez pas là?

— Je ne sais absolument pas quand j'en aurai terminé avec mes rendez-vous. Je vous laisse le soin de lui faire les honneurs de la maison.

Avant de s'engager dans le couloir, il marqua une légère hésitation.

— Paula, je vous remercie d'être revenue un samedi. Aurez-vous malgré tout un peu de temps à consacrer à vos fils, ce week-end?

Elle éclata de rire.

— Le samedi, les jeunes gens ont leurs propres occupations. Vous ne vous souvenez donc pas de cette période de votre vie? En revanche, demain, ils m'emmènent au restaurant pour le brunch. Une fois par mois, nous engloutissons des omelettes géantes!

Matt lui sourit, heureux de la voir aussi fière de ses fils. Ces derniers n'allaient pas tarder à entrer à l'université et Matt devrait alors étudier les possibilités de bourses, publiques ou privées, pour financer leurs études.

— Amusez-vous bien alors, demain. Vous pourrez partir dès que vous aurez mis Abby au parfum. Demandez-lui de rester jusqu'à mon retour. Elle n'aura qu'à s'occuper en lisant les dossiers des clients.

Tout en attendant l'ascenseur, Matt pensa une nouvelle fois à Abby. En fait, il n'avait pas vraiment cessé de penser à elle depuis la veille. Il serait certainement de retour au bureau vers 5 heures, et il lui faudrait alors trouver un moyen d'établir le contact avec elle sur un terrain neutre. Hier soir, au moment où il sombrait dans le sommeil, elle s'était imposée à son esprit. Ses jambes fuselées, ses yeux couleur moka, ses cheveux roux tombant en cascades sur ses épaules. Incroyable...

Pour se rassurer, il se dit qu'une fois qu'ils auraient travaillé ensemble un certain temps, il lui trouverait mille petits défauts qui feraient taire ses hormones et il ne penserait plus à elle de cette manière.

Abby fut quelque peu surprise que Wanda Evans, la directrice de La Tasse et La Soucoupe, accepte aussi facilement sa soudaine démission.

— Ne vous inquiétez pas, mon petit, tout se passera bien ici. Il s'agit d'une chance inouïe pour vous. Bonne chance.

Et voilà.

Son arrivée chez Smythe International se fit tout aussi naturellement. Elle y fut accueillie par Paula Shapiro, la femme qu'elle avait vue en compagnie de Matt la veille. Cette dernière se présenta, avec une petite lueur malicieuse dans le regard :

— Mon titre officiel est assistante exécutive, mais le bon vieux titre de secrétaire me conviendrait tout aussi bien. En fait, ma tâche essentielle consiste à l'empêcher de se tuer au travail, et de nous tuer tous avec lui.

Abby pouffa un peu nerveusement.

— Il semble aimer que les choses aillent vite... et à sa manière.

— Oh, il sait ce qu'il veut, c'est certain. Et lorsqu'il ne l'obtient pas, tout le monde en prend pour son grade. Mais si je peux vous donner un conseil...

Prenant Abby par le bras, Paula l'entraîna vers une salle de réunion tout en lui chuchotant sur le ton de la confidence :

— ... La meilleure stratégie avec lui consiste à ne jamais lui montrer qu'il vous fait peur. Avec moi, il a compris que ce n'était pas la peine d'insister, mais il a terrorisé les quatre dernières hôtesses sans même s'en rendre compte. Celle d'avant était tombée amoureuse de lui et pour Matt, il s'agissait d'une véritable trahison. Il tient en effet à ce que ses affaires et sa vie personnelle soient complètement dissociées. Quant à l'hôtesse qui l'avait précédée, elle s'est fiancée avec l'un de ses clients et s'est envolée pour Paris avec lui.

Abby hocha la tête. Voilà qui n'était guère encourageant...

— Dites-moi, combien de temps les hôtesses restent-elles en général ?

— Entre deux semaines et un an. J'ose espérer que vous resterez un petit moment avec nous, lui dit Paula, en lui serrant le bras.

Ensuite, elle lui désigna une chaise, installée devant une longue table en acajou sur laquelle étaient posés plusieurs dossiers.

— Un peu de stabilité ici ne nous ferait pas de mal, reprit Paula. Ce n'est pas facile de devoir en permanence travailler avec de nouvelles personnes.

Paraissant plus confiante qu'elle ne l'était réellement, Abby lui sourit.

— Il me faudra peut-être un peu de temps pour prendre ma décision, mais je ne m'effraie pas facilement.

— Bien. Au travail, alors ! Pour commencer, je vais vous parler des personnes que vous allez rencontrer à New York.

Les deux femmes commencèrent par étudier plusieurs dossiers, puis Paula lui donna quelques informations de base concernant les autres implantations de l'entreprise, et des détails sur le travail que l'on attendrait d'elle. A 4 heures et demie, Paula regarda sa montre.

— Je dois partir, mais Matthew a demandé que vous l'attendiez. Vous pouvez commencer à lire la correspondance contenue dans les dossiers Miller et Capshaw.

— Il en a pour longtemps, à votre avis ? s'enquit Abby.

En effet, elle avait l'habitude de dîner tôt, et elle commençait à avoir faim.

Pour toute réponse, Paula haussa les épaules.

— Avec lui, on ne sait jamais, mais je pense qu'il sera de retour d'ici à une heure environ.

Abby hocha la tête. Elle devrait avoir de quoi s'occuper pendant une heure. Et une fois que son nouveau patron l'aurait libérée, elle s'achèterait une pizza avec toutes les garnitures possibles et elle la partagerait avec Dee pour fêter son nouvel emploi. D'ici là, elle avait des choses à apprendre.

Fatiguée, Abby se frotta les yeux et consulta la pendule accrochée au mur de la salle de réunion. 7 heures moins le quart. Tenaillée par la faim, elle fouilla dans les placards et les tiroirs, à la recherche d'une pomme ou d'une barre chocolatée oubliée, mais elle ne trouva rien. Un moment, elle pensa se servir dans les chambres froides qui regorgeaient de nourriture, mais elle craignit que les employés n'y soient pas autorisés. Il y avait bien plusieurs restaurants à proximité du bureau, mais aucun d'eux n'avait de service de livraison à domicile. Elle avait la consigne d'attendre le retour de son patron, et ce serait bien sa veine qu'il revienne alors qu'elle était sortie dîner. Alors elle patienta, tout en sentant la colère monter.

A 7 heures et demie, la faim était devenue insupportable. Matt avait pourtant le téléphone dans sa limousine! Il n'avait qu'à le décrocher et l'appeler pour lui dire qu'elle devrait rester au bureau à l'heure du dîner et lui conseiller d'aller chercher un sandwich. Elle chercha le numéro de téléphone de Matt sur le bureau de Paula, mais cette dernière ne semblait pas avoir de répertoire. Les tiroirs étaient tous fermés à clé, et si elle avait entré les numéros de téléphone sur son ordinateur, la liste était certainement protégée par un mot de passe.

De plus en plus désespérée, Abby mit les dossiers de côté et se rendit dans le bureau de Matt. Il devait bien garder une liste de numéros de téléphone quelque part.

La pièce était uniquement occupée par un énorme bureau aux coins incrustés d'ébène, qui semblait être fabriqué dans une essence de bois exotique, un fauteuil masculin et deux sièges qui se trouvaient chacun dans un coin de la pièce. Le seul objet décoratif était un tapis oriental bleu et or, qui recouvrait le sol entre la porte et le bureau. Si Smythe aimait la sobriété, il ne devait pas regarder à la dépense.

Abby traversa la pièce, jusqu'au bureau. Une pile de courrier pas encore décacheté était posée sur le sous-main, et, à côté, un coupe-papier au manche d'ivoire et orné d'armoiries. Celles de sa famille ?

Négligemment, elle passa les lettres en revue. L'une d'elles attira son regard, ou du moins le nom de son destinataire : Lord Matthew Robert Smythe, septième comte de Brighton.

Songeuse, Abby caressa du bout des doigts l'enveloppe de vélin couleur crème.

L'expéditeur en était un cabinet d'avocats de Londres. Ce qui l'amena à se demander pour quelle raison Matt était venu s'installer aux Etats-Unis pour y monter sa propre affaire, alors que toute sa famille se trouvait en Grande-Bretagne. Il parlait avec seulement un léger accent britannique et il lui avait semblé à plusieurs reprises qu'il n'aimait pas que les gens l'interpellent par son titre de noblesse. Comme s'il cherchait à effacer son passé... Pourquoi ? S'agissait-il seulement de sa vie privée, ou de quelque chose de plus important ?

Agacée de sa propre curiosité, Abby hocha la tête. Après tout, les bizarreries de son nouveau patron ne la concernaient pas le moins du monde. Vraiment ? se demanda-t-elle, comme elle sortait du bureau. S'il se contentait d'éliminer tout bonnement de sa vie les personnes et les endroits qui le dérangeaient ou bien qui ne lui servaient plus à rien, comment se comporterait-il avec elle ou avec ses autres employés ?

Qui sait si Paula lui avait vraiment raconté toute la vérité sur les femmes qui l'avaient précédée au poste d'hôtesse ? Elles étaient peut-être parties parce que Matt les y avait forcées ou bien parce qu'il les avait licenciées. Si c'était le cas, elle risquait de subir le même sort dans quelques mois, et elle se retrouverait peut-être livrée à elle-même à New York,

Los Angeles ou Hong Kong, sans travail ni aucun moyen pour regagner son cher Chicago, toujours sûr et prévisible.

A cette pensée, Abby frissonna, puis elle sentit la colère monter. Elle lança un nouveau coup d'œil à la pendule : 8 heures. Mettant son sac sur son épaule, elle éteignit toutes les lumières et tira la porte du bureau derrière elle. Après tout, pourquoi attendrait-elle un homme qui n'avait même pas la décence de prendre en considération le bien-être de ses employés ?

Matt traversa le hall d'entrée de l'immeuble à grandes enjambées. Au moment où il passait devant le bureau du vigile, celui-ci lui adressa un signe de la main.

— Lord Smythe. Une jeune femme a laissé ça pour vous.

— Une jeune femme ?

Il fallut à Mark quelques secondes avant de comprendre qu'il ne pouvait s'agir que d'Abby. Sans s'arrêter, il attrapa le morceau de papier que le vigile lui tendit et il en prit connaissance dans l'ascenseur. Arrivé à son étage, il maudissait les femmes lorsque les portes de l'ascenseur s'ouvrirent. Il appuya rageusement sur le bouton du rez-de-chaussée pour redescendre.

Quand Matt arriva devant l'immeuble d'Abby, dans le célèbre quartier du Loop, il fulminait toujours. Un homme, les bras chargés de sacs à provisions, venait justement d'y entrer, et Matt se précipita à sa suite. Dans l'entrée, les boîtes aux lettres portaient le nom des locataires ainsi que le numéro des appartements. Apparemment, il n'y avait pas d'ascenseur et il grimpa donc les marches deux à deux, sa colère montant à chaque étage. Arrivé devant l'appartement 4B, il frappa du poing avec tant de rage qu'il fit tomber quelques fleurs de la couronne qui ornait la porte.

Abby ouvrit, et elle le regarda avec de grands yeux étonnés, par-dessus le sandwich qu'elle mangeait.

— Mais qu...

— Que faites-vous là? lui demanda-t-il en lui coupant la parole.

Sans même qu'Abby l'y invite, il pénétra dans le petit appartement.

— Vous êtes donc incapable de comprendre une consigne simple? « Attendez mon retour. » Ou bien est-ce Paula qui n'a pas été claire?

Debout dans l'entrée, Abby le fixait comme s'il était un animal sauvage qui venait de s'introduire dans son salon.

— Vous avez des manières déplorables.

— Laissez tomber la politesse, gronda-t-il. J'avais prévu de travailler avec vous sur des choses importantes, ce soir.

— Je vous ai attendu plus longtemps que de raison, répliqua-t-elle en fermant la porte d'un coup de pied. Il était déjà tard, et qui plus est, nous sommes samedi soir. Je commençais à mourir de faim, il n'y avait rien à manger et je n'avais aucun moyen de vous joindre. Tout me portait à croire que vous m'aviez oubliée, et je n'avais aucune envie de passer toute la nuit là-bas.

Matt grimaça légèrement. S'était-il montré aussi indifférent envers elle? Il avait prévu d'inviter Abby à un repas de travail, et comme il lui arrivait rarement de dîner avant 8 ou 9 heures du soir, il n'avait pas pensé qu'elle pouvait avoir des habitudes différentes des siennes. Mais elle n'allait pas se tirer d'affaire aussi facilement.

— Mademoiselle Benton, ce poste exige que vous soyez disponible vingt-quatre heures sur vingt-quatre.

— Certainement pas, répondit-elle sèchement. Je refuse.

Elle mordit une nouvelle fois dans son sandwich, mâcha sa bouchée et l'avala, tout en le regardant calmement.

— J'ai besoin de dormir, de me nourrir et d'organiser ma vie un minimum. Je travaillerai dur pour vous, mais je veux savoir à quoi m'en tenir de façon à pouvoir remplir aussi mes engagements personnels. Il est hors de question que je reste seule dans un bureau vide à me tourner les pouces et à mourir de faim en attendant vos ordres.

Matt lui lança un regard furibond, sentant la colère bouillir en lui. Même Paula n'avait jamais osé lui parler sur ce ton... Sans le respect dû à un membre de la famille royale, à un homme qui gagnait des millions, un homme qui...

Surpris, il cligna des yeux. Etait-ce bien lui qui avait pensé ainsi ? On aurait dit son père qui, tout au long de son enfance, n'avait cessé de lui rebattre les oreilles avec ce mot. Le respect.

A son plus grand étonnement, les souvenirs d'un passé lointain et solitaire submergèrent Matt. De tous les habitants de la planète, le seul à qui il refusait de ressembler était le comte de Suffolk.

En réalité, la place de la famille Smythe dans la société avait été si importante aux yeux du père de Matthew, que le comte de Suffolk avait superbement passé outre les règles de la noblesse. En effet, son fils aîné aurait normalement dû porter le titre juste en dessous du sien, c'est-à-dire celui de vicomte, alors que ses plus jeunes fils seraient devenus de simples lords. Mais au fil des générations, les Smythe s'étaient alliés à d'autres familles de l'aristocratie, et ils avaient réussi à rassembler une longue liste de titres qui, selon l'avis du comte, ne devaient pas être perdus. Il avait donc décidé que ses fils porteraient eux aussi le titre de comte, bien que ce soit de régions moins importantes que la sienne. Personne n'avait songé à contredire le vieil homme, étant donné que tous les titres en question étaient légitimes. Et c'est ainsi que la famille Smythe comportait aujourd'hui quatre comtes.

Abby parlait toujours, et il essaya de recouvrer ses esprits pour se concentrer sur ce qu'elle disait.

— ... et une fois que j'aurai terminé de manger, il faudra que j'examine un peu mieux votre offre de devenir votre esclave personnelle, lâcha-t-elle avec un regard défiant.

Se mordant la lèvre, il tenta de réprimer un rire. Voilà donc l'image qu'il donnait de lui ? Celle d'un négrier tyrannique ? Maintenant qu'il y pensait, il devait reconnaître qu'il aurait au moins dû l'appeler et s'assurer que ses projets pour la soirée lui convenaient.

— Je... Euh... Je m'excuse, bafouilla-t-il, en la regardant avaler la dernière bouchée de son sandwich.

— J'espère bien, répondit-elle, en se léchant les doigts.

— J'ai l'habitude de travailler depuis la minute où je me lève, jusqu'à la minute où je pose ma tête sur l'oreiller, et je mange quand je le peux. Je ne dois pas être le seul dans ce cas.

— Ne vous méprenez pas, rétorqua-t-elle. Je suis capable de travailler aussi dur que n'importe qui. Mais je finis par m'écrouler si je ne me nourris pas de temps à autre.

Il pouffa de rire.

— Et ce n'est pas le but recherché. Que vous vous écrouliez, j'entends.

Après tout, elle était bien plus mignonne campée sur ses deux jambes...

Abby haussa les épaules.

— Vos autres assistantes sont peut-être mortes de malnutrition.

Cette fois, il éclata franchement de rire. Décidément, non seulement elle avait du cran, mais elle avait aussi le sens de l'humour !

— Qui sait... En fait, j'ignore la raison exacte de leur départ, et je dois avouer que je n'en regrette aucune. Elles ne savaient pas s'y prendre aussi bien que vous avec les gens.

Abby lui adressa un regard timide.

Il avait cherché à la flatter, mais il ne s'agissait pas d'un mensonge. Elle savait s'y prendre. Vraiment. Et il avait constaté que ses invités lui avaient manifesté une amitié sincère. Poussé par l'irrésistible envie de réduire l'espace qui les séparait, Matt se rapprocha d'elle.

— A ma décharge, j'avais prévu de vous emmener dîner dans un restaurant proche du bureau. Ils ont une petite table, au fond de la salle, et je pensais que nous aurions pu terminer notre journée de travail dans un cadre plus agréable que le bureau.

— Oh, répondit-elle, apparemment décontenancée.

— Nous pouvons toujours y aller. Pourquoi ne pas considérer votre sandwich comme un amuse-gueule ?

Soudain, la perspective de se retrouver assis face à elle, son joli visage éclairé par la lueur vacillante d'une bougie plantée dans une bouteille de chianti, lui sembla parfaitement engageante.

Elle hocha la tête, mais sembla refuser son invitation malgré elle.

— Je suis fatiguée. Est-ce qu'il n'y a pas une autre solution pour préparer le voyage ?

— Je vous appellerai demain matin vers 10 heures, si cela vous convient. Nous verrons quelques détails par téléphone, concernant notamment le voyage. Quant au reste, nous en parlerons dans l'avion, lundi. J'emporterai votre contrat, et vous pourrez le lire et le signer.

— Bien, dit-elle. Merci.

Il resta immobile quelques instants. Depuis qu'il avait pénétré dans son appartement, il mourait d'envie de l'embrasser. Mais ce serait une erreur, se raisonna-t-il. Alors, il se contenta de lui tendre la main. Une bien piètre consolation...

— Merci d'avoir accepté mon offre d'emploi. Je m'efforcerai de faire en sorte que vous ne le regrettiez pas.

3.

Deux jours plus tard. Le cœur palpitant d'excitation, Abby sortit de l'ascenseur privé qui desservait l'appartement que Matthew Smythe possédait sur la Cinquième Avenue, à New York. Elle regarda tout autour d'elle : la décoration était sans conteste l'œuvre d'un professionnel, et elle convenait parfaitement à la personnalité du propriétaire des lieux. Seulement du noir et du blanc, aucune nuance de gris, aucune couleur. Oui ou non, mais jamais peut-être.

Un damier de dalles noires en onyx et de dalles blanches en marbre conduisait de l'entrée dans le salon, et des Vénus élégantes, sculptées dans de l'albâtre immaculé, encadraient la large porte ouvrant sur la suite. Le sol était recouvert d'un épais tapis berbère de couleur crème, et des canapés de cuir noir étaient disposés à chaque extrémité d'une immense table basse de verre, sur laquelle il était possible de prendre un apéritif ou un repas léger. Au-dessus de la cheminée, deux vases jumeaux contenaient des bouquets composés de lys, de roses et de branches de gypsophile d'un blanc pur.

Toutefois, Abby n'avait guère le temps de s'attarder sur les goûts de son patron. Elle tenait en effet sous le bras un dossier qui renfermait leur emploi du temps pour les dix jours à venir, et d'après ce qu'elle en avait compris, ils auraient à peine le temps de respirer entre deux rendez-vous.

— Comme je vous l'ai déjà expliqué, il y a une seconde suite de chambres entièrement indépendante de la mienne pour mes employés, dit Matt tout en se dirigeant vers le télé-phone. Vous aurez votre intimité, et vous pourrez choisir entre trois chambres. Prenez tout votre temps pour défaire vos bagages et vous rafraîchir. J'ai plusieurs coups de fil à passer avant que nous ne partions pour notre rendez-vous avec Haversfield, à 3 heures.

Abby manqua éclater de rire. Quoi? Prendre tout son temps? Il lui accordait généreusement trente minutes! Elle qui espérait se doucher pour se débarrasser de la poussière de l'aéroport, elle devrait se contenter de quelques gouttes de parfum, de vêtements propres et d'un coup de peigne rapide.

Tandis qu'elle défaisait hâtivement ses bagages, elle repensa à l'enveloppe qu'elle avait trouvée sur le bureau de Matt. Pas étonnant qu'il s'attende que tout le monde se plie à ses quatre volontés! Il avait dû être un enfant terriblement gâté, élevé au milieu de l'opulence de l'aristocratie britan-nique. Ses parents avaient certainement financé le lancement de son affaire aux Etats-Unis alors que la plupart des gens travaillaient dur pour payer leur loyer et leur nourriture. La plus grande préoccupation de lord Smythe devait consister à savoir quelle somme d'argent s'ajoutait quotidiennement sur son compte en banque! Et il réagissait à peine lorsqu'un employé partait et qu'un autre prenait sa place...

Elle n'avait jamais aimé les égocentriques, et si elle ajou-tait au tableau la fortune, le comte de Brighton paraissait de moins en moins être son type d'homme.

Et alors? se demanda-t-elle.

Si elle avait accepté le poste, ce n'était pas pour les beaux yeux de Matthew Smythe mais pour des raisons purement pratiques. Et Matt ne serait nullement attristé lorsqu'elle partirait, étant donné qu'aucune de ses hôtesses n'était restée aussi longtemps qu'elle-même avait l'intention de le faire.

Il n'y avait qu'un seul problème : bien qu'il la traitât de façon cavalière, comme si elle n'était qu'un rouage de plus dans la machine qui le menait vers le succès, elle se sentait fortement attirée par lui. Et elle avait remarqué qu'elle n'était pas la seule. En effet, partout où ils allaient, la simple présence de Matt suffisait à faire converger tous les regards féminins. Il ne devait avoir aucun problème à se trouver une compagne pour la nuit. Alors, qu'attendait-il d'elle ? Elle, qui n'avait jamais connu intimement un homme. Elle, qui avait été incapable de mener son fiancé jusqu'à l'autel. L'évocation de ce souvenir raviva sa blessure. Elle s'obligea alors à respirer profondément trois fois de suite, puis elle s'efforça de ne plus penser qu'au travail.

Matt avait programmé un rendez-vous dans Manhattan pour l'après-midi, et un autre le soir. Alors qu'ils s'apprêtaient à accueillir leur premier client potentiel — une femme qui représentait une entreprise de vente par correspondance de luxe — Matt saisit la main d'Abby et la posa familièrement au creux de son bras. Il n'offrit aucun autre indice suggérant qu'ils étaient peut-être plus qu'un patron et son employée, mais ce simple geste suffisait à sous-entendre une relation intime entre eux.

Matt se comportait avec le plus grand naturel, comme s'il ne se rendait même pas compte que la main d'Abby reposait sur son bras, mais cette dernière ne put s'empêcher de tressaillir légèrement au contact des muscles tendus de Matt. Elle n'avait jamais remarqué ce détail auparavant, et elle l'aurait cru trop occupé à signer des contrats de plusieurs millions de dollars pour faire du sport.

Il n'en fallut pas plus à Abby pour qu'elle se prenne à imaginer le reste de son corps, aussi tonique, tendu... et dur. Pourtant, elle parvint à conserver son sang-froid tout au long du premier entretien et à ne pas fondre de désir chaque fois qu'il la regardait. Mais ce ne fut pas sans mal !

— Je n'offre pas à mes clients étrangers les mêmes distractions qu'à mes clients américains, lui raconta Matt, alors qu'ils se rendaient au restaurant Four Seasons pour le dîner.

Les néons colorés de Broadway et de Times Square pénétraient à l'intérieur de la limousine, et Abby eut une nou velle fois l'impression de manquer d'air. Une ville pouvait en effet dégager de la sensualité, de l'énergie, de la provocation... mais toutefois pas autant qu'un homme comme Matthew Smythe.

— Laissez-moi deviner, dit-elle, sans se laisser distraire par ce qu'elle voyait à l'extérieur. Ce soir, les rôles sont inversés : ce sont eux qui vont tenter de vous séduire.

Matt lui lança un regard étrange.

Quant à Abby, elle sursauta imperceptiblement. Mais pourquoi avait-elle employé précisément ce verbe « séduire », lourd de sens multiples ? C'était peut-être la magie de New York qui agissait sur son subconscient. Ou bien était-ce parce qu'elle ne cessait d'imaginer son patron dans le plus simple appareil, depuis qu'elle avait découvert sa musculature d'athlète ?

— Il me semble que la séduction est bien le ressort qui convient à la situation.

Puis, sans montrer qu'il avait remarqué son embarras, il lui lança un dernier coup d'œil rapide avant de recommencer à taper des notes sur son ordinateur portable. Il lui avait expliqué que son ordinateur était équipé d'un modem, ce qui lui permettait de communiquer, en quelques clics de souris, avec ses collaborateurs, mais aussi ses clients ou ses fournisseurs, où qu'ils se trouvent dans le monde.

— Ce soir, continua-t-il, le vice-président d'une entreprise autrichienne va essayer de nous vendre sa marchandise. J'ai déjà un contrat avec une entreprise du même type basée à Munich, mais je ne suis pas satisfait de la qualité de leurs produits.

— Alors, pourquoi les invitez-vous, au lieu de vous faire inviter ?

Matt rentra encore quelques informations, puis il s'adossa contre la banquette de cuir pour l'observer avec le plus grand sérieux.

— Je n'ai jamais laissé quiconque m'inviter, dit-il. C'est l'une de mes règles.

— Et pourquoi ? demanda-t-elle, en fronçant les sourcils.

56

— Parce que, se contenta-t-il de répondre, comme si ce n'était qu'un détail anodin.

Toutefois, elle eut le sentiment qu'il s'agissait d'une question de principe pour lui.

— Ni moi ni aucun membre de mon équipe n'acceptons de cadeau. Si jamais l'un de mes clients vous envoyait autre chose qu'un bouquet de fleurs de taille convenable, vous devriez lui retourner immédiatement son présent, avec vos sincères remerciements.

— Je comprends, mentit-elle.

Certainement une nouvelle manifestation de son originalité...

Le dîner au Four Seasons fut exceptionnel à tous égards. L'énorme miroir, qui se trouvait au centre de la grande salle de restaurant, réfléchissait la lumière venue du plafond. Tous les sièges faisaient face à la salle, ce lui qui donnait une allure de théâtre circulaire dont la scène était occupée par des serveurs à la tenue élégante.

Les convives autrichiens d'Abby et Matt ne parlaient pas bien l'anglais, et ils préférèrent s'exprimer en allemand, langue que Matt parlait couramment.

— *Ich spreche ein bitte*, s'excusa Abby, qui ne se souvenait que de quelques phrases apprises au lycée.

Matthew s'adressa à ses invités dans la langue de Goethe, puis il traduisit ce qu'il venait de leur dire à l'attention de la jeune femme.

— Je leur ai expliqué que je vous avais embauchée récemment.

Ensuite, il posa sa main sur la sienne, comme s'il voulait leur faire comprendre que leur relation dépassait le simple cadre professionnel.

Frau Gremmel, une blonde pulpeuse au regard gourmand, n'avait pas dû saisir le message, car après avoir dévoré les serveurs des yeux, elle fixa Matt avec une intensité toute particulière. Instinctivement, Abby noua alors ses doigts à ceux de son patron, comme si elle marquait tendrement son territoire. En réponse, elle sentit la main de Matt frémir, et elle comprit qu'elle l'avait surpris. « Bien, pensa-t-elle, cela ne peut pas lui nuire d'être un peu bousculé de temps à autre ! »

Il voulut dégager sa main, mais elle referma ses doigts sur les siens. Pas suffisamment fort pour l'empêcher de se libérer s'il le voulait vraiment, mais assez pour le défier. Si par la suite il lui demandait pourquoi elle avait agi de la sorte, elle répondrait innocemment que cela faisait partie de leur petite comédie. Et en toute sincérité, elle devait bien avouer que provoquer Matt lui procurait autant de satisfaction que de décevoir les espoirs de la blonde autrichienne.

Matt se trouvait dans l'incapacité absolue de se souvenir du menu qu'il avait commandé, et lorsque le serveur posa devant lui une assiette de canette rôtie au chutney à la mangue, il se contenta de hocher vaguement la tête. On aurait dit que son esprit fonctionnait au ralenti. Alors qu'il avait le regard rivé sur le contenu de son assiette, la main d'Abby libéra la sienne et la jeune femme attrapa sa fourchette avant de s'attaquer à sa côte de bœuf saignante. L'espace d'un instant, la pièce entière sembla nimbée d'une sorte de brouillard bleuté. La seule chose qu'il fut capable de percevoir fut l'air frais caressant la paume moite de sa main, là où celle d'Abby s'était trouvée, quelques secondes plus tôt.

A en juger par la sérénité qu'elle affichait au moment de mordre dans sa première bouchée, il en déduisit que le fait de lui tenir la main ne devait pas signifier grand-chose pour elle. En revanche, il devait reconnaître pour sa part que le contact de sa peau soyeuse l'avait profondément troublé. Et chacun des mouvements à peine perceptibles des doigts d'Abby contre sa chair avait envoyé des petites impulsions électriques en direction de son poignet, puis de son bras. Mais elle, elle était restée imperturbable.

Son regard était inexorablement attiré par la petite silhouette assise à sa droite, et Matt écouta d'une oreille distraite Gremmel lui vanter la gamme des produits proposés par son entreprise.

Abby, pour sa part, semblait apprécier son morceau de bœuf, et elle avalait chaque bouchée avec une grande délicatesse mais surtout beaucoup de gourmandise.

Elle termina son assiette la première, et elle bavarda gaiement en attendant que les autres convives terminent à leur tour.

— Dites-moi, Frau Gremmel, comment était votre saumon ? demanda-t-elle poliment.

— *Ganze gut. Danke*, répondit Frau Gremmel.

— Et vous, Herr Gremmel ? demanda à son tour Matt, suivant l'exemple d'Abby.

— Délicieux, lord Smythe, comme mon épouse vient de le dire. La prochaine fois que vous viendrez à Vienne, ce sera à notre tour de vous inviter. Vous, et votre charmante compagne, ajouta-t-il avec un clin d'œil amical à Abby.

Matt sourit et hocha la tête. Si l'idée de faire visiter l'élégante capitale autrichienne à Abby était séduisante, l'Autriche lui rappelait aussi son frère aîné, Thomas, qui vivait presque toute l'année dans le royaume d'Elbia, de l'autre côté de la frontière. Matt n'avait rencontré que brièvement la jeune épouse de Thomas et les enfants que cette dernière avait eus d'un premier mariage, et il aurait été curieux de voir si cette union avait fini par transformer ce célibataire endurci en père de famille. Il n'y a pas si longtemps, il aurait été prêt à parier sa fortune qu'aucun des frères Smythe ne se marierait jamais. Mais l'an passé, non seulement Thomas, mais aussi leur jeune frère, Christopher, avaient convolé en justes noces.

— Nous pourrions bien vous prendre au mot, répondit Matt.

Il laissa Gremmel terminer son discours commercial, puis il lui demanda de bien vouloir lui expédier des échantillons au siège de la société. Ensuite, ils se serrèrent la main en exprimant leurs vœux de travailler prochainement ensemble et ils se séparèrent, après qu'Abby leur eut souhaité chaleureusement un bon voyage. Matt se fit la remarque qu'elle se comportait avec eux comme s'ils étaient des membres de la famille, et il fut étonné de voir avec quel naturel elle répondait aux embrassades.

Sur le chemin de retour vers l'appartement, Matt demeura silencieux à l'arrière de la limousine tandis qu'Abby babillait sans cesse, tout émoustillée par ce qu'elle avait appris pendant le dîner. Il lui répondait par monosyllabes lorsqu'elle lui en laissait le loisir, mais il essayait surtout de ne pas l'écouter.

Ce n'était pas son enthousiasme qui le dérangeait. Bien au contraire, celui-ci était contagieux. Mais son tempérament enjoué le stimulait d'une manière qu'il aurait préféré ignorer. Malheureusement, il lui était impossible d'oublier cette petite main, posée sur le siège, entre eux deux. Impossible aussi de ne pas se dire combien il lui serait facile de prendre cette main dans la sienne pour l'attirer vers lui. Et ensuite, il la ferait taire en posant ses lèvres sur les siennes.

Il avait espéré qu'au moment de monter dans l'ascenseur qui desservait l'appartement, elle se serait un peu calmée, mais elle faisait toujours aussi joyeusement l'analyse de la soirée, dont elle tirait tous les enseignements possibles.

— Aurez-vous encore besoin de moi ce soir? s'enquit-elle gaiement.

La question le fit tressaillir.

— Besoin de vous?

— Oui. Souhaitez-vous que je rédige quelques notes sur notre dîner avec M. Gremmel avant de me coucher?

Il jeta un coup d'œil à la pendule qui était posée sur la cheminée, avant de répondre :

— Il est presque 11 heures. Cela attendra demain matin.

— Bien.

Elle bâilla, et s'étira en tendant les bras bien haut, au-dessus de sa tête.

Ce mouvement affina sa taille déjà élancée et souleva sa poitrine de façon provocante.

— Je suis épuisée. Vous savez, le repas était vraiment délicieux.

— Oui, bien... C'était bon, marmonna-t-il, en détournant rapidement le regard.

Mais pourquoi le perturbait-elle autant?

Quand, au bout de quelques instants, il voulut se retourner pour lui demander la raison pour laquelle elle avait pris sa main, au restaurant, il vit qu'elle était déjà partie, et il entendit alors l'eau couler dans la salle de bains.

Se postant devant la chambre de la jeune femme, il attendit impatiemment que l'eau cesse de couler, sans toutefois savoir pourquoi. Il entendit ensuite des pas traverser la chambre. Elle fredonnait doucement, apparemment satisfaite et heureuse.

Il s'approcha alors de la porte, qui marquait la frontière entre les quartiers privés d'Abby et son domaine à lui.

— Abby?

Elle s'arrêta instantanément de fredonner.

— Vous avez besoin de moi, Matt?

— Oui.

« Oh oui! pensa-t-il. J'ai besoin de vous tenir dans mes bras. »

— Pourriez-vous venir, juste un instant?

Il y eut un court silence, pendant lequel il l'imagina en train d'enfiler une robe de chambre sur sa chemise de nuit, puis elle apparut dans l'embrasure de la porte. En effet, elle était bien vêtue d'une pudique robe de chambre rose, de coton, mais elle avait négligé deux détails d'importance : non seulement les lumières de la chambre éclairaient sa silhouette par-derrière, de sorte que ses longues jambes fines apparaissaient en transparence grâce à un subtil contre-jour, mais en plus les aréoles de ses seins dessinaient comme deux petites taches brunes à travers le tissu pâle.

Matt déglutit difficilement. Sa bouche devint soudain si sèche qu'il fut incapable de parler. Abby portait ses cheveux défaits, qui tombaient en cascades rousses sur ses épaules, et elle le regardait avec des yeux doux et confiants. L'énergie et la tension qui avaient marqué leurs rencontres précédentes s'étaient évanouies. Son seul désir semblait d'aller se coucher au plus vite. Quant à lui, il avait aussi envie de se coucher... mais avec elle... et certainement pas pour dormir.

— Oui ? répéta-t-elle.

Il se rapprocha. Elle dégageait une odeur de savon, de dentifrice à la menthe et sa robe de chambre sentait l'adoucissant. « Une fille de la campagne, propre et fraîche », se dit-il. Il avait envie de la prendre dans ses bras, d'enfouir le visage dans son épaisse chevelure humide... de la respirer, de la goûter.

— Après réflexion, commença-t-il sur un ton hésitant, ce serait bien que vous preniez quelques notes avant de vous coucher. Y compris des commentaires concernant personnellement les Gremmel : les plats qu'ils ont choisis, le nom de leur fils, leurs hobbies. Je consigne tout cela dans mes dossiers, et vous pourriez avoir oublié des détails d'ici demain matin.

— D'accord, lui répondit Abby, perplexe.

Comme elle s'apprêtait à rentrer dans sa chambre, la main de Matt saisit son poignet. Surpris par son audace, il fixa ses doigts d'un regard étrange, comme si ceux-ci avaient agi de leur propre chef.

— Autre chose ? demanda-t-elle d'une voix voilée qui alluma un brasier au creux de ses reins.

Il aurait dû retirer sa main et dire « Non ! » Mais lorsque Abby se retourna vers lui, que son souffle léger caressa son visage, Matt eut l'imprudence de laisser son regard tomber sur les lèvres légèrement entrouvertes de la jeune femme. Et cette dernière écarquilla ses grands yeux couleur moka quand elle devina ses arrière-pensées.

Avec le recul, Matt comprit que ce qui se déroula ensuite était inéluctable depuis le début. Il prit Abby dans ses bras et lui donna un baiser passionné et profond. A chaque instant, il s'attendait qu'elle proteste en criant ou du moins qu'elle le repousse, mais elle ne fit rien de tout cela. Et sans aucune réaction hostile de sa part, il promena ses lèvres gourmandes sur celles de la jeune femme. Il taquina les coins de sa bouche sensuelle du bout de la langue. Il se désaltéra avidement à cette source merveilleuse.

Ce qui intrigua Matt, c'est qu'elle ne lui rendit pas exactement son baiser, sans toutefois le refuser non plus. Si Abby était d'un naturel vif et espiègle, elle pouvait aussi se montrer sérieuse lorsque cela s'avérait nécessaire. Il avait deviné du premier coup d'œil, lorsqu'elle avait pénétré de façon impromptue dans son bureau vendredi après-midi, qu'elle n'était pas du genre à se donner au premier homme venu. Alors, pourquoi ne le repoussait-elle pas ?

Il lui était impossible de ne pas la mettre à l'épreuve, de ne pas tenter d'aller plus loin.

Tout en continuant à explorer la bouche d'Abby avec sa langue, il glissa doucement la main entre leurs deux corps, et, gentiment, caressa du pouce le bourgeon d'un sein qui pointait sous le tissu fin. Elle tressaillit, mais ne chercha pas à l'arrêter lorsqu'il prit son sein dans une main, se contentant de laisser échapper un léger soupir contre sa bouche. Il planta alors de multiples petits baisers le long de sa joue, parcourut son cou délié, puis s'immisça dans le décolleté de sa robe de chambre pour enfin donner des petits coups de langue sur le téton nu. Il fallut à Matt quelques instants avant de percevoir les gémissements d'Abby. Ensuite, le corps de la jeune femme se raidit entre ses bras et elle se mit à gigoter.

A contrecœur, il la libéra donc, et la regarda avec regret réajuster rapidement son décolleté... non sans avoir eu le temps d'admirer sa poitrine laiteuse. Elle était incroyablement belle et avait même des taches de rousseur à cet endroit. Comme ce devrait être amusant d'essayer de toutes les lécher, une à une...

— Je suis désolé, lâcha-t-il, alors qu'il ne l'était pas le moins du monde. Je ne sais pas ce qui m'a pris.

Mais il le savait très bien.

Elle le regarda fixement, les joues rosies, ses mains tremblantes serrant la robe de chambre devant elle.

— Lorsque j'ai accepté ce travail, je vous ai dit que..., commença-t-elle d'une voix haletante, qui dissimulait à peine ses sanglots.

Matt regretta immédiatement d'avoir pris de telles libertés avec elle. Aveuglé par son désir, il s'était conduit de façon impardonnable !

— Croyez-moi, expliqua-t-il précipitamment. C'est la première fois que cela arrive. Il n'était pas dans mon intention d'utiliser ma position d'employeur pour...

Il hocha la tête, étonné d'avoir l'air aussi peu sincère, même à ses propres yeux. Abby devait le considérer comme le plus abject des hommes !

— Je suis sincèrement désolé, Abby. Cela ne se reproduira plus, je vous le promets.

Elle lui lança un regard dubitatif, puis elle baissa les yeux.

— J'espère que rien dans mon comportement ne vous a laissé croire que... enfin...

Malgré lui, Matt ne put s'empêcher de ressentir un certain soulagement en l'entendant vouloir endosser sa part de responsabilité.

— Ne croyez pas cela. Je ne comprends pas pourquoi j'ai agi de la sorte.

En fait, il le comprenait très bien : elle était adorable, irrésistible !

Lentement, Abby prit une profonde inspiration puis exhala un long soupir. Elle leva vers lui un regard timide, derrière ses longs cils roux.

— Et moi, je ne comprends pas pourquoi je ne vous ai pas demandé d'arrêter plus tôt. Je ne suis pas si faible habituellement. J'ai même pris des cours d'autodéfense.

Puis elle ajouta avec une lueur malicieuse au fond de ses prunelles brunes :

— J'ai appris où frapper un homme.

— Merci de ne pas avoir mis vos cours en pratique, répondit Matt avec un sourire mal assuré. Je vous jure que je me tiendrai à carreau, désormais. Sincèrement.

Abby hocha la tête, se retourna, et entra dans la chambre

avant de refermer la porte derrière elle. Ensuite, il entendit le petit bruit sec du verrou. Sage décision, pensa-t-il, car il avait toujours aussi désespérément envie d'elle...

Abby prit appui contre la porte et se frappa doucement le front contre le bois poli.

— Matt, ne te force pas trop à te conduire en gentleman, chuchota-t-elle.

Il lui fallut bien cinq minutes avant que sa respiration recouvre un rythme normal et qu'elle-même cesse de trembler. Puis elle traversa la pièce, pour se camper devant le miroir. Après avoir fait glisser sa robe de chambre par terre, elle étudia son propre reflet. Elle ressentait toujours une intense brûlure à l'endroit où la langue de Matt avait caressé ses seins. Elle frissonna. Lentement, une vague de chaleur se propagea dans tout son corps et elle ferma les yeux, savourant cette sensation jusqu'à ce qu'elle s'évanouisse complètement...

Rouvrant les yeux, Abby détourna rapidement le regard du miroir, et elle sortit sa chemise de nuit de flanelle d'un tiroir. Mais elle ne la garda que quelques minutes, estimant qu'il faisait bien trop chaud pour la porter. On aurait dit que tous ses sens étaient exacerbés, que seul comptait ce que ressentait son corps.

Incapable de trouver le sommeil, Abby regretta de s'être dérobée. Si elle n'avait pas tressailli de surprise, Matt aurait alors peut-être emprisonné son sein dans sa bouche... et qui sait quelles autres merveilles il lui aurait alors révélées avant que la nuit ne se termine. Elle avait vingt-cinq ans, et elle était toujours vierge. Voilà peut-être la véritable raison pour laquelle elle ne lui avait pas demandé d'arrêter.

La curiosité.

4.

Abby était fascinée par New York. Elle aimait l'énergie qui émanait de Manhattan, les immeubles austères de pierre grise et les immenses portes en cuivre poli qui capturaient les rayons du soleil, les vêtements sophistiqués des vitrines de Bloomingdale's, Saks Fifth Avenue et les magasins de luxe de la spectaculaire Trump Tower. Mais elle se sentait encore bien plus captivée par Matt, qui demeurait une énigme pour elle et qui n'en était que plus séduisant.

Il exigeait d'elle de longues et pénibles heures de travail ainsi que de la perfection. Mais pour travailler de manière efficace, elle devait pouvoir s'adresser à lui librement afin de régler de nombreux détails, préalablement à chacun de ses rendez-vous. Or, depuis l'incident de l'autre soir, il semblait prendre intentionnellement ses distances par rapport à elle, et il arrivait même qu'elle ne le voie pas du tout de la journée.

Cela faisait maintenant quatre jours qu'ils séjournaient à New York, et elle estima qu'elle devait faire quelque chose pour qu'il se sente plus à l'aise en sa compagnie. Le grand magasin Bergdorf Goodman se trouvait à l'angle de la Cinquième Avenue et de la 57e Rue, juste à côté de l'appartement, et Abby profita d'un peu de temps libre pour y descendre. Elle se promena dans les rayons, mais ne s'attarda pas devant les robes élégantes et légèrement suggestives, coupées dans des soieries luxueuses, qu'elle pouvait pourtant désormais s'offrir grâce à la généreuse indemnité que lui accordait Matt. Ces robes ne feraient en effet que compliquer leurs relations professionnelles, et Abby se dit que la meilleure solution pour éteindre le brasier qui couvait entre eux consistait au contraire à se donner une apparence discrète. Elle opta donc pour des vêtements ultra-classiques.

Au moment où une vendeuse s'approcha d'elle, Abby trouva exactement ce qu'elle recherchait.

— Ce tailleur, et celui-ci, lui indiqua-t-elle.

Quinze minutes plus tard, elle les avait essayés, payés, et elle rentrait à l'appartement, satisfaite de son achat.

Pour la troisième fois, Matt regarda sa montre, puis la porte menant aux chambres des employés. Cela ne ressemblait pas à Abby d'être en retard pour un rendez-vous, mais il s'abstint d'aller frapper à sa porte, de peur de la voir surgir une nouvelle fois en robe de chambre. Il n'aurait pas résisté...

Il pensa se servir un verre de Martini pour calmer ses nerfs, mais il jugea ridicule de vouloir puiser du courage dans l'alcool. Après tout, quelle raison avait-il de se sentir nerveux ?

La porte s'ouvrit, et il sut. Elle.

Abby pénétra dans la pièce, vêtue d'un élégant tailleur noir et blanc, composé d'une veste à col Mao, et d'une jupe droite qui descendait jusqu'aux chevilles.

Elle lui sourit, et les yeux de Matt se portèrent immédiatement sur ses lèvres, qui n'étaient pas maquillées avec un rouge éclatant, comme il aurait convenu avec une telle tenue, mais en rose sage. Quant à ses cheveux, ils étaient relevés en un chignon serré. On aurait dit une institutrice, habillée par Vogue.

— Mais, c'est quoi, ça ? demanda Matt.

— J'ai fait un peu de shopping, lui répondit-elle calmement. Vous ne trouvez pas que c'est une tenue qui convient pour le rendez-vous de ce soir ?

Certes, le tailleur lui allait bien, et il lui donnait une allure chic, élégante et superbe. Mais ce qui le perturbait, c'était la raison pour laquelle elle l'avait choisi. Seuls une capuche et un pantalon auraient pu cacher les quelques centimètres de son corps qui restaient encore visibles.

Si le but recherché n'était que trop évident, l'effet obtenu était à l'opposé, et Matt trouva le col haut et la tenue sobre extrêmement provocants ! Comme un défi à relever. Une invitation à dévoiler son corps fil par fil, à le toucher, à le goûter, à le débarrasser de ce déguisement.

— Enlevez ça immédiatement, grommela-t-il.

— Pardon ? demanda-t-elle en le regardant fixement d'un air inquiet.

— Oui, enlevez ce tailleur et enfilez plutôt cette robe rouge coquelicot que vous portiez l'autre soir.

Et il se dirigea vers le bar, pour finalement se servir le Martini qu'il s'était refusé quelques instants plus tôt.

— Une robe de cocktail ? En pleine journée ?

— Autre chose alors... mais pas ça.

Bien qu'il ne l'entendît pas sortir, il se dit qu'elle ne devait plus être là, à en juger par le silence qui s'installa subitement dans la pièce. Pourtant, quand il se retourna, il constata qu'elle n'avait pas bougé d'un centimètre, et qu'elle l'observait calmement.

— Quoi ? dit-il, avant d'avaler une gorgée d'apéritif qui lui brûla la gorge.

— Je sais pourquoi vous n'aimez pas cette tenue et pourquoi vous avez fait tout votre possible pour m'éviter ces jours derniers, déclara-t-elle.

Ne sachant que répondre, il se plongea dans l'observation de son verre. Il aurait pu y ajouter un de ces petits oignons blancs, et il s'efforça de se concentrer sur cette idée. N'importe quoi, du moment qu'il ne regardait pas Abby.

— Vous m'avez entendue, Matt ?

Il soupira.

— Expliquez-moi. Pourquoi donc est-ce que je n'aime pas votre tenue ?

— Parce que vous avez envie de coucher avec moi et que vous refusez de l'admettre.

Il éclata de rire, mais son rire sonna trop fort et trop haut pour être sincère.

— Vous vous laissez emporter par votre imagination, jeune dame.

— Je ne crois pas, affirma-t-elle lentement, et son regard pénétrant l'enveloppa d'une manière qui le mit mal à l'aise.

Elle s'approcha, et il dut prendre sur lui pour ne pas reculer, comme s'il se sentait menacé.

— Je crois que nous sommes attirés l'un par l'autre, mais nous devons trouver un moyen de passer outre ces sentiments. Je ne peux pas travailler correctement si vous disparaissez sans arrêt et refusez de communiquer avec moi.

— Soit, répondit-il en hochant la tête.

En fait, il venait seulement d'admettre qu'il s'était fait un peu rare ces derniers jours, rien de plus.

— Qu'il se passe ou non quelque chose entre nous, continua-t-il prudemment, ce n'est pas en vous habillant comme une surveillante de collège pour jeunes filles que vous résoudrez le problème.

— Je suis seulement habillée de façon classique.

C'était plus qu'il ne pouvait en supporter. Elle était trop calme, trop sûre d'elle. Alors que lui était complètement déstabilisé...

— Bon sang, Abby, arrêtez votre cinéma! Vous pourriez entrer dans cette pièce en Bikini, que je ne poserais pas la main sur vous!

Elle se contenta d'incliner la tête sur le côté, et elle lui adressa un regard dubitatif.

— Je pense que je vais plutôt garder mon tailleur.

Le lendemain, Abby n'eut pas le temps de communiquer ses messages à Matt avant leur départ pour le rendez-vous de l'après-midi. Matt avait en effet passé toute la matinée en compagnie de son avocat, pour rédiger un contrat avec un nouvel exportateur, et il avait demandé à son assistante de lire le contrat et d'être témoin pour certifier sa signature. Elle s'était alors sentie flattée qu'il continue à lui offrir une chance d'observer sa façon de travailler, bien que leurs relations purement professionnelles aient dangereusement dévié vers une intimité temporaire.

Malgré la sérénité qui caractérisait leurs journées de travail, il était indéniable qu'entre eux, l'air crépitait d'électricité, et lorsqu'ils prirent place dans la limousine, Abby eut l'impression que son corps tout entier, de sa nuque à ses chevilles, était parcouru par des milliers de petites étincelles. Pourtant, elle essaya de se concentrer sur ce qu'elle avait à faire, c'est-à-dire transmettre à Matt les courriers électroniques et les appels téléphoniques arrivés pour lui.

— Quant à celui-ci, je n'ai pas compris, dit-elle en regardant un message qu'elle avait imprimé avant de quitter l'appartement. Vous voyez? Il vient d'Ecosse, et il est question d'un certain Chevalier de Donan...

Dans un éclat de rire, il lui prit le papier des mains.

— C'est mon frère Christopher. Lorsque nous étions enfants, nous communiquions par code, dans le vain espoir de cacher à notre père ce que nous étions en train de comploter. Christopher était le Chevalier de Donan, du nom de l'une des propriétés dont il a hérité, et qu'il habite aujourd'hui, avec son épouse.

Tout en parlant, il parcourait le message, et son sourire s'évanouit peu à peu.

— Une mauvaise nouvelle?

Matt s'adossa contre le siège, et Abby constata que les traits de son visage s'étaient crispés.

— Une vieille histoire de famille.

Pendant qu'il froissait la feuille dans un poing, Abby posa sa main sur celle de Matt.

— Je peux vous aider?

— Non, à moins que vous ne réussissiez à expliquer à mon frère qu'il est en train de commettre une erreur monumentale.

— Que veut-il ?

— Organiser une réunion de famille, chez mon père.

Perplexe, Abby hocha la tête.

— Et pourquoi serait-ce une mauvaise idée ?

— Parce que mon père se moque bien de nous voir, les uns comme les autres.

Elle le regarda fixement. Quelle sensation horrible, se dit-elle. Patiemment, elle attendit une explication, et la colère de Matt sembla s'apaiser.

— Je suis désolé. Cela ne vous concerne pas. Vous savez, les histoires de famille ne sont pas toujours simples...

Après une courte pause, il reprit :

— Vous qui avez grandi au sein d'une famille unie, dans votre ferme de l'Illinois, vous ne comprendriez pas. Il ne vous est certainement jamais arrivé de voir quelqu'un d'important disparaître de votre vie au moment où vous en aviez le plus besoin.

A cet instant précis, elle comprit qu'il venait malgré lui de lui révéler un élément important de sa vie.

— Votre père vous a abandonnés, vous et vos frères ? demanda-t-elle doucement.

— Non, répondit-il abruptement. C'est ma mère. Elle nous a laissés, mon père, mes frères et moi, sans la moindre explication. Le comte ne savait pas quoi faire de nous, alors il nous a expédiés en pension, chacun à notre tour, dès notre sixième anniversaire. En attendant, des gouvernantes prenaient soin de nous. En fait, nous ne le voyions presque jamais.

Compatissante, Abby se mordit la lèvre inférieure. Quelle enfance sinistre...

— Donc, Christopher habite en Ecosse ?

— Oui. C'est lui le plus jeune. Il vient de se marier avec une Américaine, et ils ont entrepris de restaurer le château. Mon frère aîné, Thomas, m'a dit que l'épouse de Christopher est remarquable, et il a raison. Par ailleurs, elle s'occupe très bien de la fille de Christopher. Pour tout vous dire, cela fait plus d'un an que je n'ai vu aucun de mes frères.

— Et votre père ?

— Je ne l'ai pas revu depuis que j'ai quitté l'Angleterre, le jour des mes vingt et un ans.

— Mais cela remonte à plus de dix ans ! s'exclama-t-elle.

— Ne me jugez pas. Cet homme m'a ignoré depuis ma naissance. Alors, pourquoi devrais-je jouer au fils dévoué ? De plus, s'il a vraiment envie de me voir, il est tout à fait capable d'acheter un billet d'avion pour venir ici. Il dispose de beaucoup plus d'argent qu'il n'en aura jamais besoin, et il est en parfaite santé.

Malgré l'air impassible que Matt s'efforçait d'afficher, Abby devina sa souffrance.

— La fierté nous empêche parfois d'exprimer nos sentiments réels.

— Qu'entendez-vous par là ? rétorqua-t-il sèchement.

— Que votre père a peut-être envie de vous dire qu'il vous aime et qu'il est fier de vous, mais qu'il ne sait pas comment le faire.

Une nouvelle fois, la colère assombrit les traits de Matt. Mais son expression s'adoucit presque immédiatement, lorsque son regard se baissa vers leurs mains jointes.

— J'aimerais y croire, mais c'est trop difficile. Surtout après tout ce temps...

Il s'interrompit, la voix brisée par l'émotion.

— Je me souviens d'elle.

— Votre mère ?

Il hocha la tête.

— J'étais encore très jeune, mais je me souviens de sa beauté et de sa douceur. Combien son visage rayonnait lorsqu'elle se penchait vers moi pour me prendre dans ses bras. Tendre, affectueuse, gaie. Tout le contraire de lui.

La limousine continuait à rouler, passant devant les affiches de Broadway avant de s'engager dans la 58e Rue. Abby se sentit si proche de Matt à cet instant qu'elle aurait aimé disposer de toute la nuit pour qu'ils puissent parler à cœur ouvert. Elle se croyait en effet sur le point de faire s'écrouler les remparts qu'il dressait entre eux, de comprendre l'homme qui se cachait derrière la dure carapace de P.-D.G. d'une multinationale.

Elle se posa alors une question, que Matt avait lui aussi dû se poser : si lady Smythe aimait tant ses enfants, pourquoi donc les avoir abandonnés ?

Il avait certainement deviné son interrogation dans son regard, parce qu'il reprit :

— Pendant très longtemps, j'ai cru qu'elle était en vacances. Qu'elle avait oublié de nous prévenir qu'elle était partie à Cannes ou à Biarritz. Mais les mois sont devenus des années, et mon père refusait de prononcer son nom ou de nous expliquer les raisons de son départ, ou bien encore de nous dire où elle se trouvait.

— Je suis désolée, Matt, parvint-elle à murmurer malgré la boule qui s'était formée au fond de sa gorge, imaginant difficilement la profondeur de sa douleur.

— J'ai décidé que dès que j'en aurais l'âge, je quitterais l'Angleterre pour toujours. Je suis en paix avec moi-même désormais. Je m'occupe. Je...

Il s'interrompit une nouvelle fois pour regarder à l'extérieur, et elle se douta qu'il s'efforçait de contenir les émotions qui menaçaient de le submerger.

— Avez-vous essayé de la retrouver ? continua Abby.

Il hocha la tête, incapable de prononcer un mot. Pourtant, il aurait voulu lui demander de se taire. Il n'avait pas envie de parler. Pas de ça. Pas de l'épisode le plus triste de sa vie. Mais les mots semblaient ne pas vouloir sortir de sa bouche.

Depuis des années, il aurait tout donné pour trouver le moyen d'effacer cette douleur, mais il n'avait jamais signé de contrat suffisamment extraordinaire, il n'avait jamais rencontré une personne qui le bouleversât au point de lui faire oublier cette partie amère de son passé.

Et aujourd'hui, Abby se trouvait assise patiemment à côté de lui. Sa chaleur semblait emplir l'espace qui les séparait, et le léger contact de ses doigts sur sa main avait un effet apaisant. On ne pouvait occulter le passé, mais avec Abby à son côté, ce passé lui sembla un fardeau un peu moins lourd à porter.

Elle leva alors la main et lui caressa doucement la joue. Il tourna la tête. Elle était un ange.

Malgré lui, Matt se rapprocha d'elle, réduisant la distance entre eux jusqu'à ce qu'il puisse plonger son regard dans le sien, jusqu'à ce qu'ils se retrouvent bien trop près l'un de l'autre, sauf pour des amants.

— Je ne peux pas vous expliquer pourquoi les personnes décident un jour de partir, murmura-t-elle, mais cela arrive. Même lorsqu'elles nous aiment, ou que nous croyons qu'elles nous aiment... elles partent.

Il fronça les sourcils. Qu'essayait-elle de lui dire ? Qu'elle aussi avait été abandonnée par quelqu'un ? Pas par ses parents, car il savait qu'ils habitaient toujours aux environs de Chicago. Un homme, pensa-t-il. Quelqu'un à qui elle tenait et qui l'avait profondément blessée.

Un dernier mouvement, et leurs lèvres se rejoignirent... ce qui eut pour effet d'envoyer des ondes de feu dans tout le corps de Matt. Il oublia tout : le chauffeur qui se trouvait derrière la vitre de séparation, la ville, les rendez-vous d'affaires, les contrats et les marges bénéficiaires. Soudain, le monde à l'extérieur de la limousine n'existait plus.

Il attira Abby contre lui. Elle se blottit alors contre sa poitrine et lui rendit son baiser avec une tendre ferveur. Elle avait un goût de miel et de larmes, à la fois sucrée et salée. Passant les doigts dans sa chevelure de feu, il inclina sa tête vers l'arrière pour embrasser sa gorge. En réponse, elle émit une plainte sourde, et il la sentit frissonner de délice sous ses lèvres.

— Je voudrais... Je voudrais..., murmura-t-il entre deux baisers.

— Oui, répondit-elle d'un ton rêveur.

— Avons-nous une chance d'annuler ce rendez-vous avec... Je ne me souviens même plus du nom de cette personne.

Il rit, s'en voulant malgré tout de se laisser ainsi dominer par ses pulsions.

— C'est trop tard.

Trop tard, pensa-t-elle, pour de nombreuses choses. Comme pour endiguer le flot d'émotions qui la submergeait.

Il déposa un, deux, trois baisers rapides sur ses lèvres, caressa ses poignets, sa gorge, dégagea les mèches de cheveux qui barraient ses yeux embués par les larmes.

— Ce soir. Après le rendez-vous. Nous continuerons ce que nous venons de commencer.

Elle ouvrit la bouche, non pour protester, mais pour lui demander s'il était sûr de le vouloir, parce qu'elle-même n'était plus sûre de rien ni dans sa tête, ni dans son cœur. Mais il la fit taire d'un baiser avant même qu'elle n'ait eu le temps de prononcer un mot.

— Je n'ai jamais eu besoin de personne, dit-il solennellement. Vous comprenez cela, Abby ? Jamais. Mais j'ai besoin de vous, si vous le voulez. Je vous promets que cela ne changera rien à nos relations de travail. Je serai honnête. Vous n'avez rien à craindre de ma part.

— Je n'ai pas peur, répondit-elle avec sincérité.

Posant ses deux mains sur le visage de Matt, Abby l'attira vers elle et déposa un baiser sur sa bouche. Et soudain, elle sut.

— Je vous veux, moi aussi.

Abby crut que leur rendez-vous ne prendrait jamais fin. La femme, qui était responsable du marketing d'un grand vignoble français, aimait les dîners qui s'éternisaient, et elle avait envie de passer en revue chacun des aspects de l'entreprise de Matt. Il n'y avait eu aucun moyen d'abréger la soirée.

Comme ils rentraient enfin à l'appartement en limousine, Matt et Abby s'assirent comme d'un commun accord chacun à une extrémité de la banquette de cuir. En effet, Abby était sûre que s'ils se frôlaient, ils s'embraseraient tous deux immédiatement. Par ailleurs, il lui fallait un peu de temps pour réfléchir, pour décider comment lui avouer, avant qu'ils n'arrivent jusqu'à un lit, qu'elle était encore vierge. Mais au moment où ils se retrouvèrent épaule contre épaule dans l'ascenseur, elle n'avait toujours pas trouvé les mots qui conviendraient.

Matt ouvrit la porte de la suite et s'effaça pour la laisser passer. Désespérée, elle se tourna vers lui. Que se passe-rait-il si son aveu l'effrayait?

Après avoir posé son attaché-case et sa veste sur une chaise, il la prit dans ses bras et avant qu'elle n'ait eu le temps de prononcer la moindre parole, il plaqua sa bouche sur la sienne.

— Je n'ai pas écouté une seule parole de ce que racontait cette femme, grommela-t-il.

Elle poussa un petit cri.

— Matt, attends!

La pièce se mit à tourbillonner autour d'eux.

— Je sais... Nous devons parler de quelques petites choses, dit-il tout en commençant à défaire la robe d'Abby.

Ses mains s'immiscèrent à l'intérieur du vêtement et se posèrent sur la taille de la jeune femme.

— Je ne veux pas que tu aies peur. J'ai fait très attention avant. Et toi?

— Oh... Oui, répondit-elle rapidement. Bien sûr, j'ai eu des petits amis, mais nous étions seulement...

S'il ne l'avait pas interrompue, elle aurait ajouté « amis ».

— Tu n'as pas à te justifier de quoi que ce soit, lui assura-t-il en plantant des baisers sur sa joue, son menton, sa gorge. Je sais que tu n'es pas du genre à coucher avec n'importe qui, ni à ne prendre aucune précaution.

— Ce n'est pas cela! lança-t-elle précipitamment.

Elle était désespérée.

— J'ai été fiancée, mais nous... il ne..., bafouilla-t-elle.

Il émanait de Matt une sorte de puissance magnétique qui l'empêchait de réfléchir de façon sensée.

— Rien ni personne avant cette nuit n'existe pour nous, murmura-t-il à son oreille, qu'il mordilla.

Les mains expertes de Matt firent glisser la robe d'Abby.

— Je vais te faire oublier tous les hommes que tu as connus.

Une partie d'elle-même ne demandait que cela. Oublier enfin et complètement Richard. Effacer l'épisode le plus douloureux de sa vie.

Abby leva les yeux vers Matt, frémissant au contact de ses doigts, cherchant des mots qui lui échappaient tandis que son esprit devenait de plus en plus confus. Il dégrafa son soutien-gorge, le laissa tomber à terre, puis il se débarrassa rapidement de sa cravate et de sa chemise. Presque nue, à l'exception du petit triangle de dentelle et de soie qui était posé sur ses hanches, elle s'efforça d'articuler quelques mots.

— Tu vas... être... déçu.

Il éclata d'un rire sexy et profond tout en enlevant son pantalon.

— Permets-moi d'en douter sérieusement.

Ses yeux brûlaient du feu de la passion. Tout allait trop vite pour elle. Déjà, il était presque nu et il la portait jusqu'au lit, dans ses bras.

Il s'allongea près d'elle, son corps tendu par l'excitation. Il avait gardé son slip, mais elle distinguait nettement son érection à travers le tissu, et elle sentait son membre durci palpiter contre sa cuisse. Dans un soupir, elle savoura le goût de son baiser long et puissant. Les mains de Matt caressèrent ses bras, ses épaules, sa poitrine... et elle goûta chaque sensation tout en se reprochant son manque de courage.

Comme il levait la tête entre deux baisers, elle prit une rapide inspiration et elle posa doucement la main sur son torse.

— Matt.

Il lui sourit.

— Ça va un peu trop vite pour toi, mon amour?

— Oui... Non! s'exclama-t-elle. Il y a une chose que tu n'as pas comprise.

— A propos de toi? demanda-t-il avec un sourire malicieux. Vas-y, avoue, dit-il tandis que ses lèvres effleuraient la peau sensible, à la base de son cou.

Ensuite, sa bouche tiède descendit et s'empara d'un mamelon. Gémissant faiblement, elle se tortilla de délice, au bord de l'agonie. Elle ne voulait pas qu'il arrête, mais il fallait qu'il comprenne ce qu'elle allait lui donner, et qu'il ne soit pas trop exigeant pour une première fois.

Soudain, elle sortit d'un trait :

— Richard m'a quittée parce que je refusais de coucher avec lui.

Matt tourna la tête et posa sa joue sur la poitrine d'Abby. Son regard s'assombrit.

— Qui était Richard?

— Mon fiancé.

Il réfléchit un moment avant d'arriver à la seule conclusion logique.

— Tu voulais attendre ta nuit de noces?

Il pouvait comprendre cela, mais il imagina que ce bon vieux Richard avait dû se sentir plutôt frustré de savoir que sa promise avait couché avec d'autres hommes. A moins que...

Il la regarda droit dans les yeux.

— Tu n'es pas en train de me dire que tu es vierge, n'est-ce pas?

Elle déglutit difficilement, puis acquiesça, le regard apeuré. Pas étonnant, pensa-t-il. Il l'avait entièrement dénudée, l'avait jetée sur son lit, et il se préparait à la conduire au septième ciel alors que pour elle, c'était la première fois. Une sorte de grognement bas, primitif, s'échappa de sa gorge.

— Je sais que tu es déçu, s'excusa-t-elle hâtivement. Je n'ai aucune expérience, mais j'apprendrai. Je te le promets.

Et les yeux d'Abby se remplirent de larmes, ce qui

déchira le cœur de Matt. « Quel pauvre type insensible tu fais, Smythe ! » se reprocha-t-il.

Il roula sur le lit pour s'éloigner un peu d'elle.

— Tu es en train de me dire que... tu as choisi de rester vierge pendant tout ce temps, jusqu'à ton mariage. Mais aujourd'hui, tu as envie de coucher avec moi, alors que je ne peux rien te promettre pour l'avenir ?

Lentement, elle redressa le menton.

— Oui, répondit-elle d'une voix posée mais ferme.

— Pourquoi ?

— Je ne sais pas au juste.

Soudain, il fut pris de colère. A quelle sorte de jeu jouait-elle ? Est-ce que cela avait un rapport avec sa fortune ? Son pouvoir ? Ou bien était-elle aussi innocente qu'elle le prétendait ?

— C'est important, reprit-il entre ses dents. Réfléchis bien, Abby. Je ne veux pas te faire de mal, et je ne veux pas que, demain matin, tu me reproches quoi que ce soit.

— Cela n'arrivera pas, je te le jure.

— Alors, pourquoi maintenant ? Pourquoi moi ?

Elle déglutit, sentant une grosse boule au fond de sa gorge. Elle tendit alors le bras pour attraper la robe de chambre de Matt, qui était accrochée à la colonne de lit. Pudiquement, elle s'en recouvrit.

— Lorsque j'étais à l'université, commença-t-elle, je faisais partie d'une bande de six amies. Nous étions toutes différentes des autres : nous ne nous soûlions pas, nous ne couchions pas avec n'importe qui, et nous avions même fait le serment de rester vierges jusqu'à ce que nous rencontrions et épousions l'homme de nos rêves.

Elle haussa les épaules, se sentant bête. On aurait cru un mauvais roman...

— Je ne trouve pas cela si terrible, chuchota Matt, tout en écartant une mèche de cheveux de son visage.

Ses traits s'étaient radoucis, et toute trace de colère semblait avoir disparu.

— A cette époque, j'étais plutôt sensible, romantique,

reprit Abby, avant de mordre sa lèvre inférieure d'un air pensif. J'expliquais à mes petits amis que je n'étais pas intéressée par les relations sexuelles. Certains ne m'ont jamais rappelée, ce que je comprends. Les autres sont restés quelque temps avec moi. Richard a été le plus patient de tous, et lorsqu'il m'a demandée en mariage, j'ai cru que ce serait lui.

— Tu l'aimais?

— Je le pensais. Il était intelligent, gentil et beau. Il me traitait toujours avec respect.

— Mais il est parti avant le mariage?

Elle hocha la tête.

— Je restais fidèle à ma promesse : pas avant ma nuit de noces. Mais deux semaines avant le mariage, Richard a perdu son sang-froid. Il m'a dit qu'il en avait assez de mes excuses bidons, et il a exigé que je lui prouve mon amour. Il m'a dit qu'il m'aimait, mais qu'il ne voulait pas épouser une femme frigide qui...

— Quoi? Il t'a traitée de frigide?

— Oui.

Maintenant, elle pleurait vraiment. De longs sanglots entrecoupés de hoquets.

— C'est alors que j'ai compris mon erreur. Je nous avais menti à tous les deux parce que je ne voulais pas réellement être intime avec lui. Si je voulais être honnête, j'aurais reconnu que je ne ressentais aucune passion pour lui. Mais nous étions devenus bons amis, je voulais le garder dans ma vie, et le mariage m'était apparu comme la meilleure solution d'y parvenir.

Matt la regarda fixement.

— Je n'arrive pas à croire que l'on puisse t'accuser d'être frigide, dit-il en se penchant et en caressant son bras nu.

Elle écarta doucement sa main.

— Quelle sorte de femme repousse l'homme qu'elle est sur le point d'épouser? demanda-t-elle entre deux sanglots.

— Non, Abby, répondit-il doucement. Tu ne l'as pas repoussé, c'est lui qui est parti de son plein gré. S'il avait été amoureux de toi, il serait resté. Il n'aurait pas eu besoin d'une preuve de ton amour.

Comme elle était secouée de violents tremblements, il caressa sa joue d'un doigt et elle finit par se calmer.

— Il aurait attendu, et au cours de votre nuit de noces, il t'aurait appris à aimer le corps d'un homme, et à croire en la magie du tien.

— Je ne veux plus attendre, chuchota-t-elle en levant les yeux vers lui, aussi fragile qu'un oisillon tombé du nid.

Matt eut la sensation que la chambre venait de basculer, et que tout ce qu'elle contenait, lui compris, était aspiré par le vide. Mais qu'était-elle en train de lui demander ?

— J'ai vingt-cinq ans, continua-t-elle avant qu'il n'ait le temps de lui répondre. Et si je ne rencontrais jamais l'homme de ma vie ? Un jour, j'aurai trente-cinq ans... quarante... voire plus.

Elle lui lança un regard pour constater sa réaction. Il souriait.

— Pourquoi souris-tu ?

Il lui adressa un regard malicieux, puis il s'allongea sur le lit en nouant les doigts derrière sa nuque.

— A mon avis, le simple fait que tu t'inquiètes de l'éventualité même de ne jamais avoir de relations sexuelles prouve bien que tu es une femme passionnée, et Richard, le roi des imbéciles.

Les yeux d'Abby s'écarquillèrent, puis elle rit.

— Vraiment ?

— Vraiment.

Il l'observa, s'amusant de la manière dont elle détaillait timidement son corps nu. Il était impossible qu'elle ne se soit pas rendu compte à quel point il la désirait. Mais il s'efforça d'ignorer ses propres pulsions pour réfléchir à ce qui était le mieux pour elle.

Subitement, il se leva.

— Si un homme t'aime vraiment, il attendra. N'en doute jamais, Abby.

Il attrapa une couverture au bout du lit, la posa sur elle,

puis il retira la robe de chambre dont elle s'était recouverte un peu plus tôt pour s'en revêtir.

— Où vas-tu? demanda-t-elle, le regard paniqué.

— Dans l'autre chambre. Tu peux dormir ici, si tu le veux.

— Mais je croyais que tu...

— Ce que je veux et ce qui est bien sont deux choses différentes, Abby.

Et bien que ses paroles aient été des plus sensées, elles étaient aussi extrêmement douloureuses à entendre.

— Non! Non, tu ne comprends pas!

Elle s'assit, serrant fermement la couverture devant sa poitrine.

— Je veux faire l'amour avec toi. Vraiment!

Matt hocha la tête, et effleura son nez du bout du doigt.

— Ce sont tes hormones qui parlent. S'il y a bien une chose que j'ai apprise du monde des affaires, c'est qu'il faut toujours s'en tenir à sa première décision. Ne te laisse jamais influencer par les autres.

— Mais il ne s'agit pas d'affaires! s'exclama-t-elle, exaspérée. Je veux que tu m'apprennes tout des rapports intimes entre un homme et une femme. Je veux savoir comment cela fonctionne, ressentir cette merveilleuse douleur que l'on voit sur le visage des acteurs, au cinéma.

Ses yeux étaient clairs et alertes, et la couverture avait glissé de quelques centimètres, révélant deux adorables mamelons bruns.

Matt ne savait que faire. Il aurait donné n'importe quoi pour réaliser son vœu. Depuis des jours, il ne pensait plus qu'à Abby, à son corps, à faire l'amour avec elle. Pourtant, il ferait en sorte que cela ne se produise pas.

— Ne renonce jamais à tes principes, répondit-il doucement. L'homme de tes rêves, ton mari, se trouve peut-être tout près. N'abandonne pas ta virginité à moi ou à un amant qui ne veut pas te donner ce que tu désires, Abby.

Assise au milieu du lit, perdue, elle regarda Matt sortir de la chambre. La seule chose à laquelle elle pensait, c'était que pour la deuxième fois de sa vie, elle avait réussi à repousser un homme qui comptait vraiment pour elle. Toutefois, il y avait une différence notable : cette fois, elle se consumait de désir pour Matt.

5.

Abby s'était assise à son bureau pour travailler sur les dossiers des clients et le planning des rendez-vous, mais elle n'avançait guère. Elle se sentait un peu comme un enfant qui voit une boîte de gâteaux posée sur la table de la cuisine, mais qui a l'interdiction formelle d'y toucher avant le dîner, pour ne pas se couper l'appétit. Un moment, elle avait cru que le plus beau cadeau qu'elle puisse faire à l'homme qu'elle épouserait serait sa virginité. Ç'aurait été sa façon à elle de lui promettre amour, loyauté et fidélité.

Aujourd'hui, elle n'était pas sûre de comprendre pourquoi, depuis sa rencontre avec Matt, elle avait décidé de renoncer à ce rêve. Pourquoi lui faire confiance à lui, alors qu'elle s'était refusée aux autres ? Cela avait-il un rapport avec l'étrange courant électrique qui avait circulé entre eux deux dès le premier soir ? Aucun homme n'avait produit un tel effet sur elle auparavant, et depuis ce soir-là, elle se sentait inexorablement attirée vers lui.

— Abby, tu es occupée ? demanda justement la voix de cet homme, de l'autre côté de la porte.

— Non, entre.

Elle leva les yeux, et le regret lui serra le cœur à la vue de celui qui franchissait le seuil de la pièce : grand, mince, un regard de velours, aigu et pénétrant. Deux jours s'étaient écoulés depuis leur aventure ratée, et elle avait très mal vécu de se sentir ainsi rejetée. Elle essayait donc, en vain, d'oublier cet échec en se jetant à corps perdu dans le travail.

— J'étais en train de vérifier l'emploi du temps de demain, expliqua-t-elle, en s'efforçant d'afficher un sourire poli.

— Oublie cela, ordonna-t-il d'un ton ferme. Nous nous envolons demain matin pour les Bermudes.

Inconsciemment, elle se raidit. Matthew Smythe n'était en effet pas le genre de personne à agir sur un coup de tête. Alors, pour quelle raison avait-il modifié ses projets ?

— Et les rendez-vous que nous avions pris à New York ?

— Reportons-les au mois prochain.

Elle fronça les sourcils.

— Mais je n'ai prévu aucun vêtement pour les tropiques.

— Tu achèteras ce dont tu auras besoin une fois là-bas. Je me suis chargé des réservations, et tu as juste à faire ta valise.

Matt se tenait devant les baies vitrées qui dominaient Manhattan. Il observait l'horizon, se demandant bien dans quoi il s'était engagé. Toutefois, maintenant que sa décision était prise, il irait jusqu'au bout.

Le téléphone sonna et il décrocha machinalement, avant qu'Abby n'ait pu prendre la communication. Comme il s'en doutait, il s'agissait de Paula, qui appelait depuis Chicago.

— J'ai bien reçu votre message, dit-elle. C'est quoi, cette histoire ? Vous ne revenez pas au bureau avant une semaine, voire plus ?

— Nous partons aux Bermudes.

— Mais vos rendez-vous...

— Présentez mes excuses aux clients que je devais voir, et proposez-leur une nouvelle date, dit-il d'un ton brusque.

— Bien, monsieur.

— Désolé, Paula, je ne voulais pas être agressif.

— C'est pourtant le cas. Mais je vous pardonne, lui

répondit Paula avec une amabilité exagérée avant de raccrocher.

Matt soupira. Il arrivait parfois à Paula de lui reprocher son manque de sensibilité, mais lui savait bien que lorsqu'il le voulait, il était capable de faire passer les intérêts d'autrui avant les siens. Et aujourd'hui, il s'apprêtait à accorder toute son attention à Abby, parce qu'il avait décidé qu'elle méritait son aide.

Pour être tout à fait honnête, il devait reconnaître qu'il avait éprouvé un sentiment intense, merveilleux et étrange pour Abby dès l'instant où ils s'étaient rencontrés, et une petite voix intérieure lui soufflait : « Pourquoi céder la place à un homme qui ne l'estimerait pas autant que toi ? »

Si Abby était vraiment sincère quand elle affirmait vouloir perdre sa virginité, pourquoi s'y opposer ? En véritable gentleman, il lui incombait au contraire de lui enseigner ce qu'elle désirait apprendre. Il tenta de se convaincre qu'il s'agirait d'une aventure purement pédagogique, qui lui servirait plus tard dans la vie. Ainsi, elle n'épouserait pas un homme qui ne soit pas digne d'elle, ou qui soit incapable de la satisfaire.

Néanmoins, une fois à Hamilton, il lui laisserait plusieurs jours de réflexion et, si elle ne changeait pas d'avis, la propriété de Smythe's Roost, située à l'est d'Hamilton, serait le cadre idéal pour l'initier aux secrets de sa féminité.

Les criques des Bermudes étaient plus bleues, les plages plus roses, l'air plus parfumé, et l'île était bien plus enchanteresse que tout ce qu'Abby avait pu imaginer. Les petites maisons pastel, dont les couleurs se déclinaient des ombres corail jusqu'à des turquoise tendres, semblaient accrochées sur des collines verdoyantes surplombant des criques aux teintes bleu-vert. Les toits en ardoise, profondément striés et recouverts de chaux blanche pour recueillir l'eau de pluie, miroitaient sous le soleil. Des palmiers royaux, des pins et des jeunes plants de cèdres, ces arbres tant prisés par les charpentiers de marine, se mêlaient aux fleurs d'hibiscus, de bougainvillées et de belles-de-jour. De minuscules rainettes luisantes comme de la porcelaine coassaient dans les buissons, et de nombreux oiseaux chantaient gaiement. Abby tomba immédiatement amoureuse d'un endroit aussi paradisiaque.

Un véhicule les attendait à l'aéroport.

Lorsque, au bout d'une allée en courbe, ils débouchèrent face à un bâtiment qui ressemblait à un château vert pâle, Abby n'en crut pas ses yeux.

— Mon Dieu! C'est ta villa?

— En effet, voilà Smythe's Roost. Ça te plaît?

— C'est superbe.

Ne sachant où donner de la tête, Abby observa tout autour d'elle : les jardins, les palmiers, les arbustes et les plantes exotiques dont elle ignorait le nom. Quel dommage que Matt ait toujours un emploi du temps aussi chargé, car elle aurait aimé se promener paresseusement dans les jardins et explorer quelques-unes des adorables criques qu'elle avait aperçues depuis l'avion.

Matt avait dû lire dans ses pensées, car il lui dit :

— Cette fois, tu peux prendre tout ton temps pour te changer, avant notre premier rendez-vous.

— Ah? demanda-t-elle en arquant un sourcil taquin. Ne me fais pas croire que tu as prévu d'accorder une heure entière de liberté à ton hôtesse?

— Nos premiers invités n'arrivent pas avant quatre jours, répondit-il avec un sourire mystérieux.

Comme le véhicule s'immobilisait devant une gracieuse véranda, elle se tourna vers lui.

— Tu es sérieux?

— Absolument.

— Est-ce que Paula se doute que nous n'allons rien faire du tout pendant quatre jours entiers ?

Il rit, d'un rire à la fois sexy et malicieux qui la fit frissonner d'excitation et de peur.

— Qui a dit que je ne travaillerai pas ?

Abby le regarda fixement et attendit que le chauffeur lui ait ouvert la portière pour descendre de la voiture. Quelque chose avait changé en Matthew Smythe, pensa-t-elle. Bien que ce changement n'ait certainement aucun rapport avec elle, il l'inquiétait. Après tout, c'est grâce à lui qu'elle gagnait sa vie, et au moment où elle commençait à s'habituer à son rythme effréné de travail, voilà qu'il s'abandonnait au badinage. Cela ne pouvait pas être bon signe...

Matt termina de donner ses instructions aux employés de maison, en qui il avait totale confiance : il savait que tout serait fin prêt lorsque ses invités arriveraient, la semaine suivante. En attendant, il avait l'intention de se consacrer exclusivement à Abby.

Après avoir demandé à Maria, la cuisinière, de servir un dîner léger sur la terrasse, il partit à la recherche d'Abby, qu'il trouva assise sur un banc, surplombant une crique. Des voiles blanches émaillaient la mer turquoise, tandis que des plongeurs profitaient des dernières heures avant la nuit pour explorer les récifs coralliens, dans lesquels se cachaient des multitudes de poissons tropicaux. Ses cheveux roux, libres sur ses épaules, reflétaient les rayons du soleil.

— Jolie vue, dit-il.

Abby sursauta et se retourna.

— Je ne t'avais pas entendu approcher.

— Désolé, je ne voulais pas te faire peur.

Il s'arrêta juste à côté d'elle et inspira profondément les effluves de son parfum, qui se mélangeaient aux senteurs subtiles du jardin.

— Prête à aller manger ?

— Je meurs de faim, reconnut-elle.

Il lui offrit son bras, et elle n'hésita qu'une fraction de seconde avant de poser la main dans le creux de son coude. Ils dînèrent sur la terrasse en pierre, goûtant différentes spécialités de l'île : des conques agrémentées d'une sauce à la papaye, des fruits frais, des petits pains à base de pomme de terre, et du café légèrement aromatisé à la cannelle. Matt se sentait aussi nerveux qu'un collégien à son premier rendez-vous amoureux. Il attendit qu'ils aient terminé de dîner et qu'Abby se soit confortablement installée dans un fauteuil en rotin pour enfin oser lui réciter le petit discours qu'il avait répété toute la journée.

— Abby, j'ai eu une idée, et je souhaiterais en parler avec toi.

— Tu songes à déménager le siège de la société aux Bermudes ? avança-t-elle en souriant. Aucun problème.

— Non, il s'agit de ta vie personnelle plutôt que professionnelle.

Elle lui adressa un regard empreint de gravité.

— Je n'aurais pas cru que ma vie personnelle puisse intéresser mon employeur.

— Pas ton employeur... mais un ami.

— Parce que nous sommes amis, maintenant ? demanda-t-elle en arquant un sourcil.

Elle ne lui facilitait pas la tâche, mais comment lui en vouloir ? En effet, elle ne devait plus très bien savoir quoi penser de leur relation.

— Je considère que deux personnes qui se sont retrouvées nues l'une face à l'autre, et qui ont failli faire l'amour, ont dépassé les limites d'une simple relation de travail.

— C'est vrai, admit-elle. Continue.

— Tu ne m'as rien caché de ton passé ni du serment que tu t'étais fait à toi-même. Je t'en suis reconnaissant, même si tes aveux sont arrivés à un moment inattendu.

— Pour nous deux, murmura-t-elle.

— Oui, répondit-il rapidement. Ce que j'essaie de te dire, c'est que je ne pense pas avoir réagi convenablement.

Déplaçant sa chaise pour se rapprocher d'elle, il prit sa main dans la sienne.

— Sans doute parce que tu m'as terrorisé.

— Moi, je t'ai fait peur ? demanda-t-elle, au comble de l'étonnement. Quand je pense que moi, j'étais morte d'angoisse à l'idée de te décevoir. Lorsque tu as quitté la chambre, j'ai compris que je t'avais déçu.

— Pas de la manière dont tu le penses.

Comment lui expliquer ?

— Tu sais, certains hommes considèrent que déflorer les jeunes femmes est une sorte de sport. D'autres considèrent qu'il s'agit d'une responsabilité... de quelque chose de très important. Ce que la femme vit au cours de cette première expérience peut influencer son opinion sur la sexualité pour très longtemps. Parfois pour la vie. C'est une lourde charge pour un homme.

Elle cligna des yeux.

— Je n'avais jamais réfléchi à la question sous cet angle.

— Je me suis quasiment enfui de la chambre ce soir-là. J'avais envie de toi, mais je refusais d'endosser cette responsabilité. Et j'étais en colère parce que je croyais que tu me manipulais.

— Quoi ? s'exclama-t-elle, incrédule.

Il hocha la tête.

— Tu avais décidé de perdre ta virginité, et je te paraissais un mâle convenable. Je déteste être considéré comme un objet.

Elle pouffa derrière sa main, puis elle s'efforça de le regarder avec sérieux.

— Désolée. Je...

— Certes, ce ne sont pas tout à fait les termes qui conviennent. Peu importe. Je me suis dit que je ne pouvais pas te laisser ainsi. Alors, si tu as toujours envie d'apprendre à faire l'amour, je me propose comme partenaire.

Abby resta muette quelques secondes, le temps de mesurer toute la portée des paroles de Matt.

— Tu te moques de moi, n'est-ce pas ?

Il hocha la tête en signe de dénégation et n'esquissa pas le moindre sourire.

— Je... Je ne sais pas quoi répondre, reprit-elle.

Les yeux de la jeune femme se mirent à scintiller, comme si elle était sur le point de pleurer, puis ils devinrent deux points brillants qui le fixèrent avec une vivacité soudaine.

— Si c'est ta manière de te jouer de moi, je ne trouve pas cela amusant.

— Je ne me joue pas de toi, dit-il en caressant le nez d'Abby du bout du doigt. Je ne te ferai jamais rien de tel.

Perplexe, elle se dandina dans son fauteuil, regardant pensivement une île, dans le lointain.

— Ecoute-moi, Abby. Je ne vais pas prétendre que te faire l'amour serait une corvée, car tu m'attires beaucoup, et tu le sais déjà. Tu es vraiment une femme exceptionnelle, et je te désire autant que toi tu me désires. Mais si nous faisons l'amour, si nous suivons notre instinct et devenons intimes, je consentirai alors à un sacrifice de taille.

Elle lui adressa une adorable moue, et il eut plus que jamais envie de l'embrasser, ici et maintenant.

— Je ne comprends pas, murmura-t-elle.

— Notre relation professionnelle changera, certainement pour le pire. Elle pourrait même prendre fin à cause de la forte implication affective qui existera entre nous deux.

Les yeux d'Abby s'arrondirent de surprise, et il porta la main de la jeune femme à sa bouche, pour l'embrasser délicatement.

Elle répondit par un frisson qui se communiqua au corps de Matt.

— Je perdrais certainement la meilleure hôtesse que j'aie jamais eue, et cela n'est pas rien à mes yeux.

— Ta proposition...

Nerveusement, elle humecta sa lèvre supérieure du bout de la langue.

— J'accepte ta proposition. Vraiment.

Ses yeux brillaient d'impatience, mais quelque chose

semblait la faire hésiter. Il écouta attentivement ce qu'elle lui dit ensuite :

— Mais je ne peux pas me permettre de me retrouver sans emploi si notre relation tourne subitement mal et que nous soyons incapables de travailler ensemble.

Il exhala un profond soupir. Si c'était la seule chose qui la perturbait...

— J'ai déjà pris certaines dispositions, la rassura-t-il avec un sourire.

— Ah oui ?

— Dans ton contrat, il est stipulé que tu es engagée pour une durée minimale de un an, ou bien que tu recevras une indemnité équivalente en cas de départ.

— Tu veux dire que tu ne peux pas me licencier pendant un an ?

— Exactement. Ou que tu percevras l'équivalent d'une année de salaire, même si tu démissionnes demain. Cela te suffit, Abby ?

Elle acquiesça.

— C'est plus qu'équitable.

Il remarqua que les mains de la jeune femme tremblaient légèrement lorsqu'elle les posa sur la table.

— Je ne te donnerai qu'une nuit, si c'est ce que tu souhaites. Jamais je ne t'obligerai à plus.

— Aucun lien, dit-elle avec un petit sourire. Est-ce qu'il ne s'agit pas là de la relation sexuelle idéale pour un homme ?

— Pas toujours, répondit-il doucement. Je veux que tu sois sûre, vraiment sûre de ta décision.

Délicatement, il caressa sa joue.

— Il ne s'agit pas de moi, pour une fois, mais de ce qui est bien pour toi. Prends le temps d'y réfléchir.

Reconnaissante, elle lui sourit.

— Oui, d'accord.

Cette nuit-là, couchée dans son lit, elle ressentit une impatience indicible. A une époque, elle avait été fière de maîtriser le cours de sa vie. La faculté de refuser les relations sexuelles avait été libératrice. Elle seule déciderait du moment, de l'endroit, et elle choisirait son partenaire. Aucun homme ne pouvait lui ravir cela.

Bien entendu, elle avait été tentée par certains jeunes hommes — et notamment par Richard — mais jamais au point d'avoir du mal à leur dire non. Or, au fond de son cœur, elle savait bien qu'elle ne pourrait jamais dire à Matt qu'elle ne le désirait pas. Le destin, la fatalité, une force supérieure à la nature humaine, venait de prendre le contrôle de sa vie, et elle se sentait incapable d'infléchir le cours des événements.

Abby remonta le drap jusqu'à son menton et fixa de ses yeux grands ouverts le ventilateur du plafond. Comme s'il avait été avec elle dans la chambre, elle pouvait sentir les mains de Matt glisser sur son corps, l'apaisant et l'excitant à la fois. Son cœur battait la chamade. Elle le désirait désespérément.

6.

Bristol Cove était une petite plage de sable rose pâle, située au sud de Paget Parish. Contrairement à Elbow Beach ou Horseshoe Bay, qui attiraient de nombreux touristes en saison, la petite crique isolée était principalement fréquentée par les insulaires et elle demeurait la plupart du temps déserte.

— J'ai découvert cet endroit il y a quelques années, expliqua Matt, tout en aidant Abby à descendre les marches taillées à même la falaise de calcaire.

Le chemin était étroit, et bordé de buissons fleuris. Les extrémités de la petite baie avançaient dans la mer et se refermaient comme deux bras, protégeant les eaux paisibles de la crique, et offrant un refuge aux dizaines de petits poissons multicolores qui jouaient à cache-cache dans le récif corallien.

Abby aurait tant aimé être l'un d'eux, pour pouvoir se dissimuler elle aussi entre les branches de corail. En effet, depuis que Matt et elle avaient évoqué l'éventualité de faire l'amour, elle avait les nerfs à fleur de peau. Pouvait-elle vraiment accepter la proposition de Matt ? Avait-elle réellement envie d'avoir des relations sexuelles avec lui dans un but purement pédagogique, puis continuer à travailler pour lui comme si de rien n'était ?

Il ne lui avait fait aucune promesse concernant un éventuel avenir commun, bien au contraire. Mais elle avait déjà été confrontée à ce genre de situation, avec Richard, et elle avait longtemps cru qu'elle avait eu tort de le repousser. Bizarrement, Matt comptait bien plus pour elle que son ex-fiancé, et aujourd'hui, elle se demandait si en se livrant physiquement à Matt, elle ne lui abandonnerait pas en même temps son cœur. Et ensuite, trouverait-elle la force de le quitter, le moment venu ?

Frissonnant malgré le souffle tiède des alizés, elle suivit Matt sur la plage.

— C'est le plus bel endroit que je connaisse, murmura-t-elle.

— Et c'est l'un de mes préférés, reconnut Matt, tout en posant les serviettes de bain sur le sable. Pourtant, il y en a d'autres que j'affectionne tout particulièrement.

— Lesquels ?

— Le château de Donan, par exemple. Je n'y suis pas retourné depuis des années, mais c'est un lieu superbe. Il faudrait que tu ailles en Ecosse. Je suis sûr que tu adorerais.

Cette perspective la fit sourire. Pensait-il réellement qu'elle puisse avoir un jour les moyens de s'offrir ce genre de voyage ? Apparemment, oui.

— Il y a aussi Elbia, continua-t-il, de l'autre côté de la frontière autrichienne. C'est là que vivent mon autre frère et son épouse.

— Encore un château ? demanda Abby, incrédule.

Il rit.

— Eh oui, encore un ! Mais Thomas se contente d'occuper l'une des suites. Est-ce que je ne t'ai pas déjà raconté qu'il travaille pour le roi Jacob ? Les montagnes sont si hautes, là-bas, que tu as l'impression de te trouver en plein ciel.

Abby exhala un profond soupir.

— Ta famille semble peu ordinaire, fit-elle remarquer, avant de se mordre la lèvre inférieure. Ils doivent te manquer.

Pour toute réponse, il haussa les épaules, mais ce n'était pas pour signifier son indifférence.

— Depuis quand est-ce que tu n'as pas vu ton père?

Elle attendit sa réponse, mais il demeura silencieux. Elle n'aurait peut-être pas dû aborder la question...

Matt se contenta de fixer la mer, puis il enleva son polo et piqua droit vers les eaux couleur turquoise. Sujet tabou. Elle décida donc de lui laisser un peu de répit, le temps qu'il retrouve sa sérénité.

Abby étendit une serviette sur le sable, et elle s'y allongea. Le soleil chaud réchauffait agréablement sa peau, qu'elle avait soigneusement enduite de crème solaire avant de quitter la maison. Croisant les mains sous son menton, elle observa Matt plonger dans l'eau et s'éloigner d'elle en nageant. A chaque mouvement, les muscles de ses épaules ondulaient et s'étiraient, et l'estomac d'Abby palpita étrangement à la vue de ce corps viril quasi nu.

Elle sourit. Comme il était plaisant de ne pas avoir à prendre immédiatement une décision. De ne rien avoir à faire, si ce n'est paresser sous le soleil. Doucement, elle ferma les paupières.

— Il est l'heure d'aller nager, déclara une voix au-dessus d'elle.

— Pas question, marmonna-t-elle, sans même prendre la peine d'ouvrir les yeux.

— Dernière sommation. C'est la baignade, ou alors...

Le ton inhabituel qu'employait Matt alerta Abby, et elle se mit sur le dos pour le regarder, clignant des yeux dans le soleil. Matt se tenait au-dessus d'elle, un seau en plastique rempli d'eau à la main.

— Tu n'oserais pas, le défia-t-elle.

Après tout, il ne prendrait pas le risque de tremper les serviettes...

— Ne me provoque pas.

Pour toute réponse, elle lui tira la langue... et il vida le contenu du seau sur elle.

Poussant un cri de surprise, Abby essaya de se protéger de l'eau froide, qui était pourtant la bienvenue après une exposition au soleil. Ensuite, elle bondit sur ses pieds et se lança à la poursuite de Matt. Voyant cela, ce dernier lâcha le seau et courut en direction de la mer.

— Tu me le paieras, lord Smythe! lui cria-t-elle, se sentant redevenue adolescente.

— Attrape-moi d'abord! répliqua-t-il, avant de plonger.

Abby pouvait voir le corps de Matt qui glissait dans l'eau transparente. Mais soudain, il se déroba complètement à sa vue... Etonnée qu'il ne réapparaisse pas, elle regarda tout autour d'elle, et lorsque deux mains saisirent ses chevilles pour l'attirer sous l'eau, elle comprit qu'il l'avait dupée.

Toussant et riant à la fois, Abby remonta à la surface.

— J'étais morte de peur! lui reprocha-t-elle, sur un ton faussement indigné.

— Parfait, rétorqua-t-il en essuyant l'eau de ses yeux et en lui souriant comme un gamin. C'était bien le but recherché.

— Mais pourquoi?

— Pour que tu sautes dans mes bras.

— Ça m'étonnerait! dit-elle en riant.

— Lorsque j'étais sous l'eau, j'ai vu un requin.

Abby noua alors les bras autour du cou de Matt.

— Dehors! Sors-moi immédiatement de l'eau!

— C'était seulement un bébé, complètement inoffensif, expliqua-t-il en se moquant d'elle. Allons plutôt chercher les masques et les tubas. Je veux te montrer mes animaux de compagnie.

Pendant qu'il glissait un bras sous ses genoux pour la porter jusqu'à la plage, elle lui répondit, la mine renfrognée :

— Si tes animaux de compagnie mesurent plus de trente centimètres de long et qu'ils ont des dents pointues, oublie cette idée.

— Tu les adoreras, ajouta-t-il en souriant.

Quelques minutes plus tard, ils étaient de nouveau dans l'eau, et Abby évoluait avec aisance grâce aux grandes palmes bleues qu'elle portait aux pieds. Bien qu'elle ne soit pas une nageuse émérite, elle n'avait aucun mal à suivre Matt, qui l'entraîna vers le récif. Comme ils se rapprochaient des affleurements de corail qui protégeaient la crique, elle plongea la tête dans l'eau tiède et respira à l'aide de son tuba.

L'eau était claire, et elle pouvait voir des rais de couleur qui se déplaçaient ici et là, devant eux. Matt les lui montra et les lui désigna par leur nom : des poissons-papillons bleus et jaunes, des angel fish noirs et blancs, des aiguilles de mer argentées, ou encore des poissons bagnards, si curieux qu'ils vinrent presque coller leur nez à son masque.

Elle releva la tête et fit du surplace tout en enlevant le tuba de sa bouche.

— Tes animaux de compagnie ?

A son tour, Matt enleva son masque.

— Oui, les miens et ceux de tout le monde ici. Il existe des dizaines d'espèces qui vivent dans les eaux des Bermudes.

— Ils sont si colorés. Ils ont l'air irréels, dit-elle.

Puis elle remit son masque et s'éloigna un peu en nageant, fascinée par la faune sous-marine qu'elle découvrait. Elle aurait tant voulu ne jamais quitter ce royaume merveilleux.

Cela faisait maintenant plus d'une heure qu'ils nageaient, et Abby commença à se sentir fatiguée et affamée.

— Tu en as assez ? demanda gentiment Matt, sur un ton chargé de sous-entendus.

Incapable de soutenir son regard intense, elle détourna les yeux.

— Oui, pour l'instant, répondit-elle. Pourrons-nous revenir après le déjeuner ?

— Si tu veux.

Tout en nageant, il prit sa main dans la sienne le temps de regagner la plage. Quand ils furent presque arrivés, elle posa ses pieds sur le sable. L'eau clapotait délicieusement autour d'elle, soulevant sa poitrine à chaque vaguelette.

Matt s'arrêta et se planta face à elle.

— On dirait que tu t'es bien amusée, dit-il en enlevant

son masque et son tuba, qu'il lança avec l'équipement d'Abby sur la plage.

— J'ai adoré, confirma Abby, les yeux pétillant d'enthousiasme. Merci.

Il n'arrivait pas à comprendre pourquoi il ne s'était pas rendu compte plus tôt qu'elle était la plus belle femme du monde. Sans maquillage, ses cheveux lissés en arrière, et des gouttelettes tombant de ses cils, elle était l'incarnation même de l'idéal féminin.

Il n'avait d'autre choix que de l'embrasser. Rapidement, il passa alors une main derrière sa nuque et l'attira vers lui. Il l'embrassa profondément, savourant le goût salé de la mer sur ses lèvres. Il se sentait comme possédé.

Dans les secondes qui suivirent, il perdit la raison. Après s'être assuré qu'ils étaient les seules personnes sur la plage, il l'entraîna vers le large, là où l'eau était plus profonde. Etonnée, elle lui adressa un regard interrogateur, mais elle ne semblait nullement inquiète. Bien, se dit-il. Si elle avait eu peur, il aurait arrêté.

Il avait seulement envie de jouer... Juste un peu. Jouer à l'embrasser. A la caresser sous l'eau. A lui donner un avant-goût des sensations qu'elle éprouverait lorsque... si jamais ils faisaient l'amour. Il ne réfléchit pas réellement à ce qu'il faisait jusqu'au moment où sa main plongea sous l'eau pour caresser un sein, et qu'il sentit le mamelon durcir et se dresser au contact de son pouce. Elle noua alors les bras autour de son cou et l'attira contre elle, soudant son corps au sien. Matt sentit sa virilité se durcir au contact du ventre plat de la jeune femme. Plongeant son regard dans celui d'Abby, il comprit qu'elle aussi s'en était rendu compte. Pourtant, elle ne chercha pas à le repousser.

— Plutôt facile de deviner mes pensées, murmura-t-il.

Les yeux perdus dans le vague, elle hocha la tête.

— Mais je ne vais pas te faire l'amour ici. Pas maintenant.

— Pourquoi ?

— Tu as encore besoin de temps pour réfléchir à ce que tu vas perdre.

— C'est surtout ce que je risque de manquer qui m'inquiète, chuchota-t-elle.

— Et ton futur mari, alors? Il saura.

— Eh bien, il devra m'accepter telle que je serai.

Telle qu'elle était. Superbe. Abby était un véritable ravissement Avec elle, il avait véritablement l'impression d'être un homme. Elle lui faisait oublier le monde des affaires, sa lutte perpétuelle contre lui-même et contre les autres, et même la douleur du passé. Dans les yeux d'Abby, il lisait un besoin, un désir, et il souhaitait plus que tout au monde lui donner ce plaisir qu'elle réclamait tant.

Pourtant, oserait-il lui ravir ce précieux trésor qu'elle avait jusqu'à présent préservé? Elle affirmait qu'elle y était prête, mais pouvait-il la croire? Si au moins il y avait un moyen pour... Cette idée inattendue le fit sourire. Et pourquoi pas?

— Surveille la plage, au cas où quelqu'un arriverait, dit-il d'une voix rauque.

Et avant qu'elle n'ait eu le temps de lui demander pourquoi, il disparut sous l'eau. Ensuite, il remonta le haut de son maillot au-dessus de sa poitrine et prit un sein dans sa bouche. Matt la sentit se raidir, puis gigoter de plaisir et elle prit sa tête entre ses mains. Il taquina son sein aussi longtemps qu'il le put, puis il remonta à la surface pour reprendre sa respiration.

— Oh, Matt..., dit-elle d'une voix haletante, souriant et riant à la fois, aussi offerte qu'il aurait pu le souhaiter.

Mais il ne devait pas trop lui donner d'emblée... et il devait aussi prendre garde à ne pas aller trop loin, pour garder la maîtrise de son propre corps. Pour l'instant, seul devait compter son plaisir à elle.

Il se pencha pour l'embrasser sur la bouche, et elle entrouvrit alors ses lèvres pour l'accueillir. Les mains de Matt explorèrent les contours de son corps, sous l'eau, et elle laissa échapper des petits gémissements de plaisir frustré. Posant une main sur ses fesses, il la caressa doucement. De l'autre, il se faufila entre leurs deux corps, frôla l'intérieur de sa cuisse, puis il remonta lentement, jusqu'à son entrejambe.

Il attendit un peu, le temps qu'elle s'habitue au contact de sa main, qu'elle réagisse, en le repoussant ou en donnant un quelconque signe de peur ou de malaise. Mais au contraire, elle lui rendit ses baisers avec ferveur et enfonça les doigts dans la toison bouclée de son torse.

Lorsqu'elle commença à se frotter contre la main de Matt, qui se trouvait toujours entre ses cuisses, ce dernier interpréta son geste comme un consentement. Ses doigts s'immiscèrent alors sous le tissu élastique, où ils découvrirent les plis délicats de sa féminité. S'il la touchait seulement là... S'il résistait à la tentation de la pénétrer, son anatomie resterait intacte.

Doucement, ses doigts commencèrent alors à décrire des cercles lents, insistant légèrement sur la chair veloutée et moite, mais sans entrer en elle. Instinctivement, Abby se mit à onduler en rythme. Elle rejeta la tête en arrière et ferma les yeux. Son visage rayonnait comme une aube nouvelle. Elle battit des cils, fit une sorte de moue, puis elle entrouvrit les lèvres avec sensualité. Les traits délicats de son adorable visage exprimaient une centaine d'émotions subtiles, et Matt ne se lassait pas de l'observer.

— Dis-moi si je te fais mal, chuchota-t-il dans son oreille.

Elle ne répondit pas, et il se demanda même si elle l'avait entendu. En effet, on aurait dit qu'elle se concentrait uniquement sur la caresse de ses doigts, sur les sensations extraordinaires qui prenaient possession de son corps. La serrant contre lui, il frôla lentement, patiemment, avec un seul doigt le petit bourgeon soyeux, le taquinant encore et encore. Jusqu'à ce qu'elle frémisse et s'agrippe aux épaules de son compagnon, enfonçant ses ongles dans sa chair.

Finalement, Matt sentit le corps de la jeune femme se crisper puis être secoué de vagues de plaisir intense, qu'il se contenta d'imaginer. Elle cacha ensuite sa tête contre le torse de son partenaire pour étouffer des cris d'extase qu'il ressentit dans tout son corps.

Matt la tenait toujours serrée contre lui, la soutenant dans l'eau le temps qu'elle recouvre ses esprits, qu'elle retrouve son équilibre et que sa respiration reprenne un rythme normal. Satisfait, il sourit. Il avait abouti à un excellent compromis : si la vertu de la jeune femme était préservée, du moins au sens anatomique du terme, il lui avait donné un aperçu de la jouissance sexuelle. Leçon numéro 1.

Pour sa part, il la désirait toujours autant. Jamais encore il n'avait été aussi ému par le spectacle de la jouissance d'une femme, et elle l'excitait à un point qui atteignait l'extrême limite du supportable pour un homme... Pourtant, il ne lui demanderait pas de le satisfaire. Il attendrait, sans même avoir la certitude que cette attente serait récompensée : en effet, elle pouvait très bien refuser la leçon numéro 2...

Matt commença à marcher vers la plage, tenant Abby par la taille.

— Pas encore, ordonna-t-elle d'une voix profonde, en l'obligeant à s'arrêter.

Elle leva son visage vers le sien, et son regard était animé d'un expression bien différente de toutes celles qu'il avait lues dans ces yeux couleur moka.

— Tu ne veux pas recommencer, tout de même ? dit-il en riant.

— Si, répondit-elle, mais pas pour moi.

Incrédule, il plongea son regard dans celui de la jeune femme.

— Nous sommes convenus d'attendre pour le reste, que tu aies eu le temps de réfléchir.

Elle haussa les épaules, et un sourire timide se dessina sur ses lèvres humides.

— Je voulais parler... d'alternatives. Tu m'as fait ressentir des choses... incroyables, expliqua-t-elle, en hochant la tête, incapable de trouver les mots pour décrire ce qu'elle venait de vivre. Comment est-ce que cela s'appelle ?

Matt éclata de rire.

— Disons que je t'ai fait l'amour avec mes mains.

— Je ne savais pas... Je pensais qu'il fallait... Que tu devais...

Mais elle ne termina pas sa phrase et baissa les yeux en rougissant.

— Eh bien, maintenant, tu le sais.

Elle ne semblait pas décidée à le laisser regagner la plage, et regarda tout autour.

— Personne ne nous a vus, la rassura-t-il.

— Je sais. Ce n'est pas cela, ajouta-t-elle avec un sourire malicieux.

— Que se passe-t-il, alors ?

— Une femme peut faire la même chose à un homme, non ?

— Eh bien, oui...

Abby avait dû voir des films, lire. L'acte sexuel ne constituait plus un tel mystère pour les non-initiés, de nos jours.

— Mais ce n'est pas nécessaire...

Elle redressa alors les épaules, releva son menton et le regarda avec une adorable expression de sérieux. Puis il sentit ses petites mains se frotter contre sa virilité, à travers le tissu de son caleçon de bain. Matt tressaillit, et il serra les genoux pour qu'elle satisfasse sa curiosité.

— Tu es très... ferme, remarqua-t-elle.

— En effet, répondit-il en riant.

En fait, son membre était dur comme la pierre. Pour ce que ça allait lui servir... Bah ! Une douche froide, un verre de cognac... il survivrait.

— C'est douloureux ? demanda-t-elle avec curiosité.

— Difficile à expliquer. Je ne ressens pas vraiment de la douleur.

— Mais tu te sentirais mieux si...

Et elle laissa la petite lueur malicieuse qui dansait au fond de ses prunelles terminer la phrase pour elle.

— Viens, nous ferions mieux de rentrer, grommela-t-il.

Sa volonté l'abandonnait un peu plus chaque seconde.

N'avait-elle pas idée de ce qu'elle lui faisait subir, en l'obligeant à rester ici, avec elle, après l'avoir touchée comme il l'avait fait, après l'avoir sentie fondre de plaisir dans ses bras?

— Pas encore, insista-t-elle d'un ton décidé.

Ses doigts se faufilèrent alors dans le maillot de Matt et enveloppèrent sa virilité. Il émit un grognement et regarda nerveusement autour d'eux. Personne sur la plage. Personne sur la falaise, au-dessus. De toutes les façons, tout se passait dans l'eau...

Abby commença à le caresser sur toute la longueur de son sexe, ses doigts l'enserrant en douceur.

— Guide-moi, murmura-t-elle.

Matt ferma les yeux pour mieux apprécier le plaisir qu'elle lui procurait.

— Tu fais exactement ce qu'il faut.

Rapidement, le corps de Matt s'embrasa. Il cacha son visage dans la chevelure humide de sa partenaire et se mordit la lèvre inférieure pour ne pas hurler son nom. Des gerbes d'étincelles explosèrent dans sa tête. Il frotta alors son membre contre la main de la jeune femme, et il laissa la nature prendre le contrôle des événements.

Pendant un moment, le monde sembla avoir disparu.

Il n'aurait su dire combien de temps s'écoula, mais lorsqu'il rouvrit les yeux, elle s'était légèrement reculée et l'observait.

— Merci, murmura-t-il non sans humour, et il porta la main de la jeune femme à ses lèvres.

— Tout le plaisir était pour moi, répondit-elle avec un petit sourire satisfait.

Pour la première fois de sa vie, il craignit d'avoir libéré des forces qu'il ne maîtrisait pas du tout.

7.

En début d'après-midi, Matt laissa un petit mot à Abby, expliquant qu'il avait à faire à Hamilton et qu'il rentrerait pour aller dîner à La Coquille. En réalité, il n'avait aucun rendez-vous, seulement envie de s'isoler quelque part... n'importe où. Toutefois, Matt ne se promenait pas vraiment. Il avalait plutôt les distances à grandes enjambées. Rapidement, furieusement, il couvrit une dizaine de kilomètres à l'est d'Hamilton, empruntant les petites routes de Pembroke Parish, parcourant des chemins étroits rendus quasiment impraticables par la végétation tropicale. Il longea les falaises de la côte nord de l'île, passa devant des villas, traversa des hameaux. Epuisé, il s'arrêta enfin pour s'asseoir sur un rocher, et il prit sa tête entre ses mains, grondant de colère contre lui-même.

— Imbécile !

Au fur et à mesure qu'il recouvrait son sang-froid, Matt se rendait compte qu'il venait de commettre une erreur monumentale. Une erreur susceptible lui coûter encore plus cher qu'il ne le pensait. Comment avait-il pu être dupe au point de croire qu'il serait capable d'initier Abby aux plaisirs de l'amour sans... Sans quoi, au juste ? Sans s'attacher à elle. Déjà, il ne pouvait plus se passer de la petite lueur dorée qui luisait au fond de ses yeux moka lorsqu'elle levait le regard vers lui.

Lorsque au début, il avait envisagé d'être son initiateur

dans la découverte de sa féminité, il avait considéré la démarche comme quelque chose de très simple, voire de mécanique. Certes, il n'était pas idiot, et il s'était bien douté qu'il passerait un bon moment. Mais il ne s'était pas imaginé à quel point elle le troublerait, ni les sentiments étranges qu'elle éveillerait en lui. L'envie de la protéger... le désir... l'instinct de possession... et d'autres émotions tendres mais indéfinissables qu'il n'avait pas envie d'analyser trop précisément.

Et maintenant, qu'était-il censé faire ? Il avait conclu un pacte avec elle. Ils avaient partagé un moment d'intimité si intense que même lui, qui n'en était pourtant pas à sa première aventure, avait été bouleversé par une telle communion des sens. Peu importe qu'ils n'aient pas eu de véritable relation sexuelle, tout ce qu'ils avaient fait ressemblait à... A quoi ?

— Ce n'était pas du sexe, murmura-t-il, surpris par la direction que prenaient ses pensées. Nous avons fait l'amour.

Mais cela n'avait rien à voir avec le fait d'être amoureux. Non. Il essaya mentalement de se convaincre qu'éprouver de la tendresse pour une personne ne signifiait pas nécessairement l'aimer. L'amour était un sujet très complexe et un sentiment qu'il avait fui toute sa vie, car il supposait des liens fragiles, susceptibles de se rompre malgré soi à tout moment. Aimer signifiait s'engager envers une personne, et croire que celle-ci tiendrait ses promesses et ne vous quitterait jamais. Or, sa mère les avait quittés, tout comme son père. Car même si ce dernier ne les avait pas abandonnés physiquement, même s'il avait pris toutes les dispositions nécessaires pour que ses fils soient bien élevés, il s'était moralement éloigné de ses enfants. Inexorablement, la distance entre eux n'avait cessé de se creuser. Jamais aucun geste tendre, aucun mot affectueux.

Et aujourd'hui Abby, la petite Abby, qui n'avait aucune idée de ce que faire l'amour voulait dire, menaçait de détruire la forteresse derrière laquelle il se protégeait. Une forteresse appelée Smythe International. S'il avait ne serait-ce qu'une once de bon sens, il marcherait en direction de la mer, puis embarquerait à bord du premier bateau en partance pour les Etats-Unis. Il avancerait droit devant lui, sans jamais regarder en arrière.

Mais il avait promis à Abby de faire son éducation tant professionnelle que sexuelle, et jamais il n'avait manqué à sa parole. Il s'agissait là de sa règle d'or : ne jamais faire subir aux autres ce que ses propres parents lui avaient fait subir.

La Coquille se situait à l'intérieur d'un musée marin appelé le Bermuda Underwater Exploration Institute, mais ce restaurant n'en était pas moins considéré comme l'un des meilleurs de l'île. L'élégante salle à manger était entièrement peinte en blanc, et entourée de baies vitrées qui offraient une vue splendide sur le célèbre port d'Hamilton. Les serveurs étaient attentifs et polis, et l'endroit était empreint de raffinement moderne et de simplicité romantique.

Abby hésita longuement devant la carte avant d'arrêter son choix. Elle finit par se décider pour deux plats : un gaspacho servi avec des morceaux de homard frais, puis des moules cuites à la vapeur accommodées avec une sauce au vin blanc et à l'anis, et accompagnées de pain à l'ail. Matt commanda lui aussi du gaspacho, suivi d'une énorme salade mélangée composée de crevettes, avocat, cœurs d'artichaut, olives noires, tomates cerises avec une vinaigrette à l'huile de noix, puis des côtelettes d'agneau grillées dans une sauce au romarin, accompagnées de tomates séchées et de pommes de terre sautées à l'ail.

Abby savoura son repas, bavardant entre chaque bouchée, et ignorant l'air étonnamment maussade de Matt. Elle refusait de laisser la mauvaise humeur de ce dernier gâcher la fin de ce qui restait la journée la plus exceptionnelle de sa vie. Une fois le repas terminé et le café servi, elle sentit qu'elle ne pouvait attendre plus longtemps pour lui annoncer sa décision.

En effet, elle avait passé son après-midi à analyser tout ce qu'impliquaient les événements qui s'étaient produits dans la crique, le matin même.

Sur le moment, l'intimité qu'elle avait partagée avec Matt lui était apparue comme l'évolution logique de leur relation. De la véritable affection. Un jeu d'adultes. Elle ignorait pourquoi elle réagissait de la sorte avec Matt, car elle n'avait jamais rien ressenti de comparable avant pour un homme. Ses baisers... Sa façon de la caresser... Les endroits auxquels il l'avait caressée... Tout cela semblait faire partie d'une danse qu'elle attendait d'interpréter depuis qu'elle avait atteint l'âge adulte. Seul lui manquait le bon partenaire.

Lorsqu'il l'avait prise dans ses bras et qu'elle avait lu dans ses yeux qu'il avait des projets pour elle — des projets intimes, secrets, délicieux —, elle n'avait éprouvé aucune inquiétude. Cela semblait simplement juste.

En l'espace de quelques incroyables minutes, Matt lui avait tant appris ! Il lui avait montré combien son corps avait faim et comment la satisfaire ; il lui avait aussi laissé entrevoir qu'elle avait le pouvoir d'exciter un homme, puis de lui donner du plaisir. Et elle réalisait difficilement qu'elle avait procuré à Matt un plaisir comparable à celui qu'elle avait éprouvé. Elle avait envie de recommencer cette danse sensuelle, d'apprendre le prochain pas, et le suivant, jusqu'à ce qu'elle soit capable d'interpréter le ballet tout entier.

— Matt, commença-t-elle lentement. Je ne sais pas ce qui te tracasse, mais nous ne pouvons pas ignorer ce qui s'est passé ce matin, ou bien ce qui va arriver ensuite.

Matt inspira profondément et ses lèvres bougèrent, mais aucun son ne sortit de sa bouche.

— Bien sûr, finit-il par dire. Mais nous pouvons en parler ailleurs qu'ici. Termine ton café, et ensuite nous prendrons une calèche pour rentrer à la maison. Nous aurons ainsi tout le temps de discuter.

Plusieurs calèches attendaient en effet le long de Front

Street, à proximité du restaurant. Matt convint de l'itinéraire avec le cocher, puis ils s'installèrent sur la banquette, sous la capote frangée de pompons roses. Abby se pelotonna contre lui et elle le sentit se crisper, mais elle ne bougea pas pour autant. Ils restèrent l'un comme l'autre silencieux pendant plusieurs minutes, se laissant bercer par le rythme du pas des chevaux qui empruntaient les ruelles étroites, bordées de boutiques aux vitrines colorées. Abby eut finalement le sentiment que c'était à elle de prendre la parole.

— Dans la crique, ce matin, commença-t-elle nerveusement, cela semblait si naturel d'être avec toi.

Elle prit une profonde inspiration pour se donner du courage avant de continuer.

— Et toute la journée, je n'ai pensé à rien d'autre, si ce n'est...

— Tu ne sais pas de quoi tu parles, la coupa abruptement Matt. Ce que tu as ressenti là-bas et que tu ressens encore maintenant, c'est purement sexuel. Une fois qu'on y a goûté, c'est l'engrenage. On est prêt à tout pour recommencer.

Abby prit le temps de réfléchir à ce qu'il venait de lui dire.

— Non, répondit-elle lentement. Il n'y a pas que cela.

Bien entendu, le seul souvenir de la réaction de son corps aux caresses de Matt la faisait frémir de délice, mais il devait y avoir une autre raison, qui l'avait incitée à renoncer à un vœu solennel qu'elle avait jusqu'alors respecté.

— Ce que j'éprouve pour toi, je ne l'ai encore jamais éprouvé pour aucun autre homme.

Matt pâlit et détourna le regard.

— Matt, dit-elle tout en prenant garde de parler à voix basse pour ne pas être entendue par le cocher. Je ne suis pas naïve au point d'espérer que tu t'engages envers moi pour la vie, uniquement parce que nous avons partagé des moments intimes. Et je ne te parle même pas d'amour. Je veux seulement que tu saches que ma décision est prise et que je veux coucher avec toi.

La mine renfrognée de Matt faillit briser le cœur de la jeune femme.

— Ce n'est pas raisonnable, murmura-t-il.

— Mais c'est pourtant toi qui l'as suggéré !

— Je sais, mais j'agissais alors... Je ne sais pas... Par égoïsme peut-être. Les hommes diraient n'importe quoi pour attirer une femme dans leur lit.

Abby eut l'impression de recevoir un seau d'eau froide sur la tête. C'était donc ça ? N'importe quelle autre femme aurait pu se trouver avec lui à la crique, et recevoir les mêmes attentions ?

Se mordant la lèvre inférieure, elle regarda la nuit qui était tombée. Le chant des grenouilles emplissait l'obscurité, mais son cœur refusait d'entendre leur musique.

— Ecoute-moi, reprit-il d'un ton plus affectueux. Tu as su attendre jusqu'à aujourd'hui, alors tu risquerais de regretter ta décision.

— Non, affirma-t-elle d'un ton décidé. Je suis sûre de moi.

« Et je te veux, Matthew Smythe », ajouta-t-elle pour elle-même.

— Les choses ont changé. J'ai changé. Je n'ai plus envie d'arriver à ma nuit de noces sans savoir comment donner du plaisir à mon mari. Je n'ai plus envie de me demander si l'homme que j'épouserai saura me satisfaire, continua-t-elle, à mi-voix mais avec insistance.

Matt cligna des yeux. Il détestait l'entendre parler ainsi. La simple idée qu'un autre homme puisse la toucher le faisait bouillir de colère. Qu'avait-il fait ? La préparer pour un homme qui, un jour, bénéficierait de son enseignement ?

Si elle était véritablement décidée à devenir une femme, allait-il céder à un autre homme le privilège de l'initier ? Il se sentit pris à son propre piège. Quelle que soit la décision qu'il prendrait, il serait perdant. Il ne pouvait la repousser, mais il ne pouvait pas non plus la garder pour lui.

— Matt ?

Plongé dans ses réflexions, il lui fallut un certain temps pour se rendre compte qu'elle l'interpellait.

— Matt, tu vas bien? demanda Abby, en posant tendrement sa main sur la sienne. Je te disais que si tu as changé d'avis et que tu ne veux plus devenir mon amant...

Le désespoir qui se lisait dans le regard de la jeune femme bouleversa Matt.

— Il ne s'agit pas de cela, mais je ne veux pas te faire de mal, voilà tout.

Enfin... Presque tout. Il ne voulait pas se détruire lui-même par la même occasion. Pourtant, la tentation était grande. Elle était belle, avide d'apprendre, et il avait eu l'intuition à la crique qu'elle pouvait être une amante généreuse. Quel homme laisserait passer une telle aubaine?

La calèche s'immobilisa enfin devant la villa, et Matt paya le cocher. Ensuite, il aida Abby à descendre et il garda sa main dans la sienne le temps de marcher jusqu'à la porte d'entrée.

A chaque pas, il se maudissait, lui et ses fichues hormones. Il avait pourtant déjà passé du bon temps avec des dizaines d'autres femmes, et ensuite il leur avait envoyé un joli bouquet accompagné d'un petit mot anodin, les remerciant pour l'agréable soirée passée en leur compagnie. Il ne leur avait jamais menti, mais il leur avait fait comprendre qu'elles ne devaient pas espérer le revoir.

Mais Abby... Il ne pouvait pas se comporter de la sorte avec elle. Quelque chose de magique s'était produit entre eux depuis leur rencontre, quelque chose qui le liait à elle d'une façon déroutante mais indéniable.

Il regarda autour de lui. Sans qu'il s'en rende compte, ils avaient pénétré dans la maison et se trouvaient dans l'entrée. Elle se tenait face à lui, le fixant avec impatience, les yeux grands ouverts, encourageants, pleins d'espoir.

Vaincu, il hocha la tête.

— Que le Seigneur me vienne en aide, mais je te veux.

— Je te veux aussi, Matt, murmura-t-elle, en posant délicatement ses lèvres sur les siennes. De quoi as-tu peur ? C'est moi qui suis censée être nerveuse.

Ce fut pour lui l'estocade. Sa fierté masculine, piquée au vif, prit le dessus et l'incita à passer à l'action.

— Mais je n'ai pas peur ! répondit-il en la regardant. J'essaie seulement de me comporter en gentleman, malgré tout ce... bazar dans lequel tu nous as mis.

— Bazar ? répéta-t-elle en faisant la moue.

Il était bien conscient qu'elle jouait avec lui, qu'elle le provoquait. Pourtant, il ne pouvait s'empêcher d'être excité par la jolie coloration rosée de ses joues et la lueur taquine de ses yeux. Il fit un pas en avant et la prit dans ses bras.

— Ton heure est arrivée, jeune dame, gronda-t-il.

Elle accepta son baiser et le lui rendit avec la même ferveur. Ensuite, il la porta sans efforts en haut des marches qui menaient jusqu'à sa chambre, se félicitant que les employés soient rentrés chez eux.

Il ne voulait pas lui faire l'amour à la va-vite, de façon mécanique. Non, il voulait consacrer la nuit entière à Abigail Benton, réapprendre avec elle l'art de l'amour. Il voulait la rassurer, puis la combler. Il voulait lire dans son regard l'étonnement de la découverte puis la torpeur du plaisir. Il voulait l'entendre crier son nom, pendant que lui mugirait comme une bête sauvage en plein accouplement.

Cela faisait longtemps qu'il n'avait pas désiré posséder une femme plus d'une fois au cours de la même nuit, mais il savait qu'il prendrait Abby autant de fois qu'elle le lui permettrait, ou jusqu'à ce qu'il sente le corps de sa partenaire rassasié.

D'un coup de pied, Matt poussa la porte de la chambre, et il traversa la pièce en deux grandes enjambées impatientes. Dans sa précipitation, il lâcha Abby sur lit, au lieu de l'y déposer délicatement...

— Désolé.

Elle rebondit sur le matelas, tout en se moquant tendrement de lui.

— C'est donc ça les préliminaires? Rouer la femelle de coups?

Il lui adressa un sourire carnassier et défit sa ceinture.

— Très drôle. Déshabille-toi.

— Non, répondit-elle en inclinant la tête et en le regardant avec malice. A toi de le faire.

« Au secours! pensa-t-il. Je ne tiendrai jamais cinq minutes. »

Il se répéta qu'il devait aller lentement, que tout ceci était nouveau pour elle. Peu importe l'urgence de son propre désir, il fallait que cette première expérience procure à Abby le moins de douleur et le plus de plaisir possible. Un équilibre délicat à trouver.

Il lança sa ceinture sur une chaise, puis sa chemise.

Abby portait une robe bleue fermée dans le dos, et la jupe ample, froissée, était remontée au-dessus de ses genoux. S'asseyant sur le bord du lit, il prit un pied gainé de soie dans ses mains et se mit à en caresser l'intérieur. Sa tête tournait, tout son corps vibrait de désir, mais il s'efforça d'aller doucement, pour se donner le temps de se calmer et d'amener progressivement sa partenaire jusqu'à un état d'excitation comparable au sien.

Après tout, il s'agissait d'une expérience nouvelle pour lui aussi, car c'était la première fois qu'il faisait l'amour avec une femme qui n'avait jamais connu d'autre homme. Il savait ce qu'il était censé trouver, d'un point de vue anatomique, et aussi ce qui se passerait au moment de la pénétration. En revanche, il ignorait quoi faire au moment crucial, et de ce point de vue, il était aussi inexpérimenté qu'elle.

Ses mains bougeaient lentement, mais dans un but bien précis. Elle s'assit sur le lit pour le regarder, et il promena les doigts à l'intérieur de son pied, caressa sa fine cheville, puis il remonta le long du mollet.

— Enlève-le, ordonna-t-il, en désignant son collant.

Elle s'exécuta et laissa tomber le sous-vêtement à côté du lit. Ses yeux grands ouverts étaient remplis d'appréhension. Il effleura sa longue cuisse soyeuse, puis il lui sourit.

Soulevant un sourcil interrogateur, elle murmura :

— Quoi ?

Il aimait savoir qu'elle allait de découverte en découverte. Diaboliquement, il porta son pied à sa bouche et embrassa ses orteils un à un. Elle frémit et émit une petite plainte, comme un chaton qui se réveille d'une longue sieste. Son sourire était à la fois curieux, serein et impatient. Du bout de la langue, il lécha le dessous de son pied. Elle avait goût de talc et de vanille.

— Ça va ? demanda-t-il.

— Oui... Oh oui, haleta-t-elle.

Ravi de sa réaction, il déposa de multiples petits baisers en remontant à l'intérieur de son pied, le long de sa cheville, puis jusqu'à son genou et sa cuisse. Plus que tout au monde, il souhaita à cet instant continuer à parcourir le chemin de chair satinée et goûter à la source de sa féminité. Mais il était encore bien trop tôt et il craignit qu'elle ne prenne peur ou ne panique, ce qui signifierait qu'il aurait failli à sa mission. Néanmoins, il se promit de réserver ce petit jeu pour plus tard, si elle le lui permettait.

Expertes, ses mains se glissèrent dans le dos de la jeune femme pour défaire sa robe, la faire glisser sur ses épaules laiteuses, dégrafer son soutien-gorge, puis lancer les vêtements par-dessus le lit. Enfin, elle s'offrit nue à son regard.

Matt ne voulait pas la mettre mal à l'aise, mais il ne put s'empêcher de l'observer furtivement. Il laissa ses mains se promener sur son corps, comme un aveugle qui mémorise les traits d'une personne. Elle avait des seins menus, fermes, et adorablement couronnés par de petits mamelons bruns. Sa taille était fine mais pas maigre, ni durcie par des exercices de musculation. Ses hanches... Ah, ses hanches... Elles l'attiraient irrésistiblement, et il prit ses fesses dans ses mains. Elle plia alors les genoux et s'ouvrit à lui comme une fleur.

— Abby, dit-il dans un souffle, sais-tu que tu es superbe ?

Elle lui sourit gentiment, ne semblant pas le moins du monde effrayée.

— Je parie que tu racontes ça à toutes les filles.

Certes, mais cette fois, il était sincère.

— Pendant toutes ces années, tu as dû avoir du mal à éloigner les hommes.

— Pas envie de me bagarrer ce soir, répondit-elle en souriant.

— Je vois, chuchota-t-il, la voix rauque. Ecoute, si jamais je te fais mal, n'hésite pas à me le dire. Et si je ne réagis pas assez vite, frappe-moi. J'ai la vague impression que je pourrais me laisser emporter, et je ne veux pas que tu te croies obligée de faire quelque chose qui te mettrait mal à l'aise.

— Bien, dit-elle avec le plus grand sérieux.

Puis, le regardant, elle ajouta :

— Tu as un beau torse.

Elle le caressa légèrement, étonnée de n'éprouver ni peur ni timidité. Elle avait cru qu'elle se sentirait maladroite, gênée, vulnérable, voire terrifiée de se retrouver nue devant un homme. Mais aucun de ces sentiments ne lui avait effleuré l'esprit, et elle laissa ses doigts plonger dans les boucles qui recouvraient le torse musclé de Matt, puis elle les laissa glisser vers son estomac et son bassin.

Le regard de Matt suivit celui d'Abby, qui était rivé sur son pantalon.

D'une main légèrement tremblante, il défit sa braguette, mais avant qu'il n'ait eu le temps d'enlever son slip noir, elle tendit la main et d'un doigt suivit la colonne de chair que l'on devinait sous le tissu. Ferme et intrigante...

Il lui sourit, puis attrapa sa main, qu'il posa sur son membre.

— Ça, c'est signe que le monsieur vous trouve très excitante, mademoiselle.

— J'apprends chaque jour quelque chose.

— Prête pour la suite ?

Elle acquiesça de la tête.

Il fit glisser la bande élastique le long de ses hanches, et se débarrassa de son slip. Elle le regarda, les yeux écarquillés, puis elle passa deux fois la langue sur ses lèvres avant de déglutir.

— Oh...

Il rit devant son expression, à la fois étonnée et intimidée.

— Satisfaite ?

— Je... Oui, bien sûr... Je...

Inquiète, elle leva son regard vers le sien.

— C'est que... J'ai peur d'être trop étroite. Quand je te vois... Je ne pourrai jamais...

— Ne t'inquiète pas, la rassura-t-il. Ecarte-toi un peu, Abby.

Prenant soin de ne faire aucun mouvement brusque susceptible de trahir son appréhension, elle se glissa sur le côté du lit sans le quitter des yeux. Elle voulait en effet éviter à tout prix de crier ou de réagir de façon idiote à quelque chose qui paraîtrait naturel à une femme ayant de l'expérience, car Matt aurait immédiatement cessé de lui faire l'amour. Et à ce moment précis, c'était la dernière chose qu'elle souhaitait.

Il s'allongea à côté d'elle.

— J'irai doucement, promit-il.

Elle hocha la tête.

— Tu te souviens de la crique ?

Une vague de chaleur envahit alors son corps, et leur nudité ne fit qu'accentuer son trouble.

— Oui, murmura-t-elle.

— Est-ce que je peux te caresser comme je l'ai fait là-bas ?

— Oui.

La main de Matt glissa le long de son corps, puis elle sentit ses doigts s'immiscer entre ses cuisses, qu'elle écarta un peu plus.

— Ça va ?

— Je suis parfaitement décontractée.

Il rit. Sa main se posa sur son mont de Vénus soyeux, décrivant lentement des cercles. Il baissa ensuite lentement la tête jusqu'à ce que sa bouche se pose sur l'un de ses seins. Tandis que sa langue et ses dents taquinaient un mamelon, le léchant, le happant, elle sentit toute tension quitter son corps.

— Ça va mieux, dit-elle. Et j'aime ça aussi.

La main de Matt venait de trouver le même point que dans la crique, un délicat petit bourgeon de chair sensible, caché entre ses cuisses. Chaque fois que ses doigts l'effleuraient, le cœur d'Abby sautait, ses muscles les plus intimes se contractaient, et un éclair de chaleur explosait en elle.

A chaque mouvement, les doigts de Matt s'enfonçaient un peu plus... plus loin... plus fermement... avec plus d'insistance. Les yeux d'Abby étaient rivés à ceux de Matt. Elle y lut de la tendresse, de l'inquiétude, et il guettait le moindre changement d'expression de son visage. L'espace d'une seconde, sa main sembla hésiter, comme s'il n'était pas sûr de ce qu'il allait faire.

Impatiente, elle saisit son poignet.

— S'il te plaît Matt, n'arrête pas. Je ne changerai pas d'avis.

Avec un hochement de tête, il introduisit son doigt de quelques millimètres en elle. Elle eut la sensation d'être contractée, mais elle ne ressentit aucune douleur.

— Encore un tout petit moment.

Se plaçant au-dessus d'elle, il murmura à son oreille.

— Accroche-toi à moi.

Elle lui obéit et s'agrippa à ses épaules tandis qu'un second doigt la pénétrait, puis se mettait à bouger en elle. L'explosion de sensations lui fit rapidement oublier le léger inconfort qu'elle éprouvait. Lentement, avec une grande douceur, Matt fit aller et venir ses doigts, provoquant en elle des frissons agréables, tièdes et apaisants comme elle n'en avait encore jamais ressenti. Des vagues de plaisir si fortes et intenses qu'elle ne pouvait que se cramponner désespérément aux épaules musclées de Matt, qui luisaient maintenant de sueur, et le laisser l'emporter vers des rivages encore inconnus.

Elle était tellement bouleversée par tout ce qu'elle découvrait, qu'elle se rendit à peine compte qu'il s'éloigna un instant, pour attraper un préservatif. Puis elle sentit le poids de son corps sur le sien. Ensuite, il se fraya un chemin vers le centre de sa chaleur et il s'immisça lentement en elle par l'ouverture moite. A ce moment, elle découvrit une nouvelle danse, avec le sentiment que son partenaire en connaissait chaque pas et qu'elle n'avait qu'à se laisser guider. Ils évoluèrent ensemble sur le même rythme, jusqu'à ce que la chambre se mette à tourbillonner et qu'elle ait l'impression que son corps était consumé par les flammes. Enfin, Matt poussa un grognement sourd et cambra son dos pour s'immerger profondément au cœur de sa féminité. Il avait eu raison. Leurs deux corps s'accordaient parfaitement. Entièrement. Pour le plus grand délice d'Abby.

8.

Quand Matt se réveilla, il faisait encore nuit. Il regarda Abby, qui lui tournait le dos et dormait sur le côté, un oreiller serré contre son ventre. Se penchant sur elle, il dégagea une mèche de cheveux qui cachait ses yeux. Elle soupira imperceptiblement.

— Viens, murmura-t-il. Viens contre moi.

Les yeux toujours fermés, comme dans un rêve, elle repoussa l'oreiller et se tourna vers Matt. Elle posa ensuite la joue contre son torse et sa jambe droite vint s'enrouler autour du bassin de son compagnon. Dans un geste protecteur, Matt passa ses bras autour d'elle. Il savait que rien de mauvais ne pouvait résulter de cette nuit. Abby avait été parfaite, et s'il avait eu un instant d'hésitation, c'était seulement par crainte de la décevoir.

Comme par magie, les doutes qui l'avaient rongé un peu plus tôt semblaient s'être dissipés. Plus rien ne comptait, si ce n'est être proche d'Abby. Et deux personnes pouvaient difficilement être plus proches qu'elle et lui à cet instant. Contre son corps musclé, la peau d'Abby paraissait rose et satinée et lui inspira des pensées lascives de plus en plus tentantes...

— Tu es réveillée, Ab? chuchota-t-il.

Ils avaient déjà fait l'amour à deux reprises. La première, parce que cela faisait partie de leur accord. La seconde, parce qu'elle le lui avait demandé, timidement, mais avec une expression de sérieux dans le regard qu'il avait trouvée charmante et irrésistible. Et il s'était exécuté de bonne grâce.

— Je dors, répondit-elle, un léger sourire aux lèvres. Laisse-moi.

— Tu auras tout le temps pour paresser demain.

Doucement, il la fit rouler sur le côté puis il vint se placer derrière elle. Il passa ensuite les bras autour de sa partenaire, enfouissant la tête dans sa chevelure soyeuse, et il caressa ses seins jusqu'à ce qu'elle se mette à se tortiller de plaisir, complètement éveillée et avide d'apprendre quelque chose de nouveau.

— Une nouvelle leçon ? demanda-t-elle, le souffle court.

— Oui, si tu en as envie.

Elle tourna la tête pour le regarder par-dessus son épaule et planta un baiser sur son menton à la barbe naissante.

— D'accord.

Sa voix était confiante, impatiente, et heureuse — et elle embrasa instantanément le corps de Matt. Déjà, sa virilité était dure comme la pierre et se frottait contre les petites fesses soyeuses d'Abby. Lorsqu'il pénétra dans le cœur moite de sa féminité, elle se mit à onduler contre lui et atteignit l'extase si rapidement qu'il n'eut pas à attendre avant de se consumer de jouissance en elle.

Pour Abby, les jours suivants s'étirèrent comme nimbés d'un doux brouillard rose. Ces trois dernières semaines, Matt et elle avaient passé de longues heures au lit, à se caresser, parler, rire, faire l'amour. Elle avait appris comment enflammer presque instantanément le désir de Matt, avait découvert les rares endroits de son corps où il n'aimait pas qu'elle le touche, et tous les autres où il aimait être caressé. Jusqu'à ce qu'ils deviennent intimes, leur principal sujet de conversation et la vie même de Matt avaient été presque exclusivement axés autour de Smythe International. Aujourd'hui, Matt évitait d'évoquer le travail. Il souhaitait seulement parler d'elle, d'eux, du chant mélodieux des joyeuses petites rainettes et des fleurs qui avaient éclos dans le jardin, le jour même.

— Ce sont les hibiscus que je préfère, expliqua Abby dans un soupir. La fleur tropicale par excellence — d'un rouge orangé flamboyant. Des fleurs immenses, charnues, à l'étamine jaune d'or.

— Mais elles paient leur beauté très cher, murmura-t-il en caressant ses cheveux. Sais-tu que chaque fleur ne vit qu'un seul jour ?

— Vraiment ? demanda-t-elle, en levant les yeux pour le regarder.

— Oui, c'est tout ce que la nature leur accorde.

— Quelle tristesse...

Paresseusement, elle passa la main dans la courte toison bouclée qui recouvrait l'estomac de Matt. Elle était sur le point de dire que parfois, les gens étaient pareils. Certains connaissaient une vie longue et en tout point ordinaire, alors que d'autres faisaient sur cette Terre un passage aussi fulgurant qu'un éclair. Et puis, il y avait les relations amoureuses. Certaines étaient solides et durables, mais un observateur extérieur les trouverait parfois bien insipides, tandis que certains couples partageaient une passion étourdissante mais fugace.

Qu'allait-il advenir de sa relation avec Matt ? N'étaient-ils que les acteurs d'une romance passagère ? Des fleurs éphémères ?

La sonnerie du téléphone vint la détourner de ses pensées, qui soulevaient des questions troublantes.

— Je réponds, annonça-t-elle, ravie de pouvoir se changer les idées.

— Si c'est important, avertis-moi. Il faudrait tout de même que nous nous levions et que nous sortions, aujourd'hui.

Et il lui adressa un clin d'œil en se dirigeant vers la salle de bains pour prendre une douche.

Abby décrocha. Il s'agissait de Paula, qui appelait depuis Chicago.

— Cela fait des jours et des jours que je laisse des messages sur le répondeur, se plaignit-elle, dès qu'elle entendit la voix d'Abby.

Secrètement, cette dernière sourit.

— Désolée, nous avons été très occupés.

— Je n'en doute pas! Cet homme serait capable de faire travailler les autres pour lui même au paradis. Est-ce qu'il mange au moins? Est-ce qu'il dort?

On aurait dit une véritable mère poule, qui s'inquiétait pour son grand fils parti étudier à l'université.

— Il a bon appétit, se contenta de répondre Abby, en réprimant son envie d'ajouter « et il mange bien, aussi ».

Il y eut un long silence à l'autre bout de la ligne.

— Paula, vous êtes toujours là?

— Seigneur Jésus, ayez pitié!

— Pardon?

— Il vous a séduite, n'est-ce pas? gronda la secrétaire. Je vais le tuer.

— Paula, enfin..., reprit calmement Abby. Ne soyez pas fâchée. Il est vraiment fantastique.

— Vous ne le connaissez pas aussi bien que moi. Quand il est fantastique, il représente un véritable danger pour toute la gent féminine.

— Croyez-moi, il n'a pas profité de moi.

— Il n'oserait jamais, insista Paula. Il ne cherche jamais à blesser qui que ce soit. Mais arrivera un moment où il se sentira trop impliqué, et il ne le supportera pas. Dès qu'une relation devient sérieuse, il rompt.

Baissant la voix, comme si elle craignait que son patron ne l'entende depuis Chicago, elle continua :

— Il vous a parlé de ses parents?

Sur la défensive, Abby se raidit.

— Oui.

— Matthew ne prendra pas le risque d'être abandonné une nouvelle fois.

Abby voulut lui expliquer qu'il n'y avait aucune attente, ni d'un côté ni de l'autre; que Matt la guidait seulement dans un des moments les plus excitants de sa vie. Il était le professeur, et elle l'élève, et chaque jour il lui apportait un bonheur immense. Toutefois, elle savait bien au fond d'elle-même qu'elle ne considérait plus leur arrangement en des termes aussi simples.

Un silence éloquent s'installa entre les deux femmes, puis Paula reprit finalement la parole.

— Il est trop tard, n'est-ce pas ? Vous êtes amoureuse de lui ?

Abby émit un petit rire crispé.

— C'est ridicule, voyons !

— Abigail, je suis désolée, murmura alors Paula.

La jeune femme ferma les yeux, et sa main se crispa sur le combiné. Ses sentiments étaient donc si évidents ?

— Tout ira bien. Je vous le promets.

— Le mieux pour vous serait de le quitter pendant qu'il en est encore temps, mon petit. Je ne veux pas vous perdre. J'aime travailler avec vous. Mais après ce que vous venez de vivre ensemble, le voir jour après jour au bureau sera une véritable torture.

— Il ne va peut-être pas se dérober, cette fois, hasarda Abby.

— Et il va peut-être aussi laisser tomber les affaires et se mettre au tricot !

Abby entendit un bruit étrange de l'autre côté de la ligne, comme si Paula fouillait dans des papiers.

— S'il travaille comme un drogué, c'est pour une raison bien précise. C'est sa façon à lui de museler ses émotions. Il est incapable d'aimer une femme. Il m'a raconté une fois qu'il se souvient du visage de sa mère. Elle l'a embrassé, puis elle a pris sa valise et s'est enfuie loin de lui et de ses frères.

— Mais je ne le quitterai jamais, protesta Abby. Pas s'il me demande de rester. Je ne lui ferai pas de mal.

— En êtes-vous sûre ? demanda doucement Paula. Même si une figure de votre passé réapparaissait dans votre vie ?

— Je ne comprends pas, répondit Abby en fronçant les sourcils.

— Un homme a appelé hier. Il a laissé un message, il veut que vous le rappeliez. Un certain M. Wooten, je crois ?

Abby laissa échapper un petit cri.

— Richard ?

Elle n'avait pas revu son ex-fiancé depuis le jour où il était sorti de sa vie en lui lançant qu'il ne voulait pas prendre le risque d'épouser une femme frigide.

Pour la première fois depuis leur rupture, le cœur d'Abby ne se serra pas en entendant prononcer son nom. En fait, elle ne ressentait rien. Elle appartenait désormais corps et âme à un autre homme. Elle aimait Matt.

— Vous lui avez dit que j'étais en déplacement ?

— Oui, mais il a insisté. Il a dit qu'il était votre fiancé.

— Il ne l'est plus, s'empressa-t-elle de préciser. Cela fait plus d'un an que tout est fini entre nous.

— Apparemment, pas pour lui.

Voilà qui était étrange...

— Ce qu'il veut n'a plus aucune importance, affirma Abby.

— En tous les cas, vous ne pourrez pas dire que je ne vous ai pas prévenue. Je lui ai répondu que vous l'appelleriez dès que vous le pourriez, mais faites comme bon vous semble. Maintenant, j'aurais besoin de parler à votre fantastique patron, ajouta-t-elle sur un ton railleur qui manquait de subtilité.

— Il est sous la douche pour l'instant, dit Abby, que l'intimité implicite de l'information mit mal à l'aise. Je lui demanderai de vous rappeler dès qu'il sera disponible.

Ensuite, elle raccrocha, puis garda les yeux rivés sur le combiné pendant plusieurs minutes, comme si elle s'attendait qu'il lui saute à la gorge et la morde. Jusqu'à cet instant précis, elle avait refusé d'admettre qu'elle était amoureuse de lord Matthew Smythe, comte de Brighton, et président d'une entreprise pesant plusieurs millions de dollars. Jusqu'à cet instant, elle ne s'était pas rendu compte à

quelle vitesse ni à quel point elle était devenue partie inté-
grante de sa vie. Ou bien quelle place il occupait dans son
cœur. La simple perspective de dormir seule, sans Matt à
son côté, lui sembla insupportable. S'asseoir à la table du
petit déjeuner sans commencer par lui servir une tasse de
café lui parut complètement irréaliste. Et se passer de ses
caresses sur son corps serait une tragédie.

La situation était préoccupante...

Matt se sentait complètement libre, une sensation étrange
et nouvelle. Tout en prenant sa douche, il se rendit compte
que désormais seul comptait pour lui le fait de passer du
temps avec Abby.

Chaque jour, ils se baignaient dans l'une des nombreuses
criques isolées qui entouraient l'île. Ils marchaient main
dans la main, nageaient et s'embrassaient. Ils étaient partis
en excursion sur un bateau à fond de verre et s'étaient émer-
veillés devant le spectacle des gorettes argentées et des pois-
sons-perroquets bleus qui peuplaient les récifs. Chaque soir,
il renvoyait le personnel chez lui plus tôt qu'à l'accoutumée,
et ils dînaient en tête à tête sur la véranda, au clair de lune,
avant de faire l'amour au milieu du parfum enivrant des
bougainvillées, des hibiscus et des délicates fleurs mauves
des bermudianas.

Pendant tous ces jours, seule lui avait importé la présence
d'Abby à ses côtés.

Pour la première fois de sa vie, il désirait s'amuser, et il
n'avait aucune envie de se laisser de nouveau happer par le
monde des affaires, ni de répondre aux messages de Paula.

Lorsque les invités de Matt étaient arrivés, à la fin de la
première semaine, il avait été obligé de leur faire une place
dans le monde qu'Abby et lui partageaient. Il s'était alors
montré un hôte agréable et accueillant, mais d'une extrémité
à l'autre de la pièce, ils échangeaient des regards brûlants
qui ne faisaient qu'attiser leur désir. Et quand enfin ils se re-

trouvaient seuls, il se jetait avidement sur Abby, la faisant sienne avec une possessivité sauvage.

La voix d'Abby vint soudain interrompre ses pensées.

— Matt, Paula dit que c'est urgent. Tu dois absolument lui parler.

Il marmonna et embrassa la courbe délicate du cou de la jeune femme lorsqu'elle lui tendit l'appareil.

— Il n'y a rien qui ne puisse attendre que nous soyons de retour à Chicago, grommela-t-il dans le téléphone.

— Faux, répliqua Paula. Joseph Cooper vous a soufflé deux de vos clients. J'ai essayé de vous prévenir qu'ils souhaitaient vous parler personnellement avant de résilier leurs contrats, mais comme vous n'avez pas pris la peine de vous manifester, ils se sont vexés. Tout porte à croire que nous allons bel et bien les perdre.

La mine renfrognée, il sentit sa vieille agressivité reprendre le dessus.

— C'est tout?

— Je suis ravie que vous preniez un peu de temps pour... vous relaxer, reprit Paula après une légère hésitation. Mais si vous ne revenez pas rapidement, Matt, il se pourrait bien que vous n'ayez plus besoin de revenir du tout parce que vous n'aurez plus d'entreprise.

Confus, hébété, il raccrocha puis regarda Abby.

— Que se passe-t-il? demanda-t-elle doucement.

— Il est temps de regagner le monde réel.

Et au moment même où il prononça ces paroles, il se rendit compte que son état d'esprit se modifiait imperceptiblement. Leur séjour aux Bermudes avait été un beau rêve, mais le monde réel se trouvait à Chicago... Ici, rien d'autre ne comptait, à part faire l'amour à une femme magnifique, guetter ses sourires, écouter son rire cristallin et la tenir chaque soir dans ses bras. Là-bas, dans le monde réel, en revanche, rien n'était simple, ni joyeux.

Abby étudia attentivement l'expression de son visage, puis elle lui sourit timidement.

126

— J'adore cet endroit. Est-ce que nous y reviendrons bientôt?

Matt ne sut pas au juste si elle parlait des Bermudes, ou bien de l'intimité qu'ils avaient partagée. Ne s'agissait-il pas d'une seule et même chose? Il se demanda s'il était possible de transposer ce qu'ils avaient vécu ici, ensemble, dans son ancienne vie. Il en douta sérieusement...

— Nous verrons, murmura-t-il en lui tournant le dos.

Dehors, les voiliers glissaient sur l'eau turquoise, et le ciel était de ce bleu presque irréel qui n'existait que sous les tropiques.

— Il faut préparer les bagages.

La tension qui régna entre eux pendant le vol de retour vers New York était presque palpable. Pour un peu, Abby se serait crue assise à côté d'un parfait inconnu. Ils n'échangèrent que quelques mots, puis prirent un vol en correspondance pour Chicago, où ils arrivèrent aux environs de 20 heures le même soir. En quelques milliers de kilomètres, elle eut l'impression d'avoir été transportée à des années de lumière de l'homme qui lui avait fait l'amour au milieu de la luxuriante végétation tropicale et du chant des rainettes.

Au moment de monter dans la limousine qui les attendait à l'aéroport, Abby se sentit nauséeuse. Elle avait la migraine et ne savait plus quoi penser.

— Peux-tu être au bureau, demain, à 9 heures? lui demanda Matt au moment où le véhicule s'immobilisa devant son immeuble.

Incrédule, elle se tourna vers lui et le fixa du regard.

— Quoi? rétorqua-t-il.

Le chauffeur fit le tour de la voiture pour ouvrir la portière, mais Abby l'ignora.

— Que sommes-nous en train de faire, Matt?

— Je ne vois pas..., dit-il en fronçant les sourcils.

Mais avant qu'il ne détourne les yeux, elle put y lire qu'il avait parfaitement compris.

Elle insista.

— Je suis la même personne que ce matin, aux Bermudes. Et toi aussi.

Elle se rapprocha de lui, ressentant le besoin de se blottir contre son torse.

— Je sais que tu travailles beaucoup, mais qu'est-ce qu'il va advenir de nous, maintenant ? Nous devons en parler.

— Ce n'est pas le moment, répliqua-t-il en consultant ostensiblement sa montre. J'ai du travail qui m'attend, s'il n'est pas déjà trop tard.

Si elle comprenait tout à fait qu'il puisse être contrarié à l'idée de perdre des clients, elle supporta mal l'impression d'être mise de côté, et sa douleur se transforma en colère. Tirant la portière, elle la ferma violemment pour pouvoir parler avec Matt sans être entendue par le chauffeur.

— Je croyais que les leçons avaient pris fin avec la première nuit. Je pensais que tout ce qui s'était passé entre nous, ensuite, était l'expression de notre affection mutuelle.

Les sanglots lui serraient la gorge, et elle avait beaucoup de mal à parler.

Les traits de Matt se figèrent. Quand enfin il se retourna vers elle, elle ne put supporter le message muet de ses yeux : « Nous savions bien tous les deux que notre relation ne durerait pas. » Abattue, déçue, Abby se glissa en dehors du véhicule puis partit en courant vers la porte d'entrée de l'immeuble. Le chauffeur la suivit avec sa valise. Il insista pour la lui monter jusqu'à son appartement, et elle eut toutes les peines du monde à garder son sang-froid jusqu'à ce que la porte se soit refermée sur lui.

Mais quelle imbécile elle avait été ! Les regards tendres, les caresses passionnées, les crises de fou rire et les moments plus intimes... Tout cela ne signifiait apparemment rien pour lui, alors qu'elle y avait vu la plus formidable des promesses.

Abby se jeta sur son lit et éclata en sanglots. Fort heureusement, Dee n'était pas là ce soir, car elle n'aurait pas supporté que quiconque la vît dans un état pareil.

128

⁂

Lorsque le jour se leva, Abby avait pleuré toutes les larmes de son corps. Elle s'assit dans son lit, se moucha, et réfléchit posément à la situation.

Deux choix s'offraient à elle dans l'immédiat : soit elle reconnaissait sa faiblesse et démissionnait de l'emploi de ses rêves ; soit elle puisait en elle la force de se retrouver chaque jour face à Matt.

Elle se passa le visage à l'eau froide, se servit une grande tasse de café bien fort, et fit une lessive. Quand enfin elle enfila son tailleur, elle était prête à affronter son patron. Non, elle ne se laisserait pas détruire par un homme — que ce soit un fiancé en fuite ou un play-boy aristocrate. Qu'ils aillent tous au diable !

9.

Matt se rendait compte qu'il avait été odieux avec Abby, et il redoutait de la revoir au bureau, ce matin.

Il n'avait pas cherché à la blesser, et pendant ces semaines magiques passées aux Bermudes, il n'avait cessé de se répéter qu'il y avait entre eux un peu plus que de l'amusement. Il était son premier amant, et pour une femme comme Abby, cela devait compter. Elle avait chéri son corps, avait préservé sa virginité en attendant de rencontrer un homme qui en vaudrait la peine. Et lui, il avait profité d'elle. Il savait qu'il avait été injuste, et maintenant, il espérait trouver le moyen de se racheter.

Mais de quelle manière ? Il n'en avait pas la moindre idée. Il avait passé la plus grande partie de la nuit à réfléchir à leur avenir. Jamais il n'avait eu l'intention de mettre fin à leur relation en quittant l'île. Seulement, l'appel de Paula l'avait inquiété, le tirant d'un rêve merveilleux rempli de soleil et de complicité amoureuse, pour le forcer à revenir dans le monde réel. Celui des contrats aux montants astronomiques et des chiffres d'affaires en augmentation. S'il ne mettait pas sur pied un plan de bataille énergique, son empire menaçait de s'écrouler.

Et Abby dans tout cela ? Quelle place occupait-elle dans ses projets ?

Il y avait encore quelques heures, il ignorait comment transposer leur relation loin du cadre paradisiaque des Bermudes, mais après de longues heures de réflexion, il avait le sentiment d'avoir trouvé la solution. C'est donc avec un air serein et sûr de lui qu'il arriva dans les locaux de Smythe International.

Paula leva les yeux de son bureau, qui se trouvait dans l'entrée :

— Bonjour, lord Smythe.

— Bonjour, répondit-il en se dirigeant vers son bureau d'un pas décidé. Quand Abigail arrivera, dites-lui que je l'attends dans mon bureau.

— Elle est déjà là, monsieur.

S'arrêtant, il consulta sa montre.

— Il n'est que 8 heures et demie.

— Je sais, monsieur. Et elle était déjà là lorsque je suis arrivée, il y a vingt minutes.

— Et... comment va-t-elle ? demanda-t-il, d'un ton hésitant.

— Elle est bronzée, répliqua malicieusement Paula.

Mais elle ne souriait pas du tout... Soudain, Matt eut la désagréable sensation de se trouver pris au piège entre deux femmes en colère. Non... Il devait se faire des idées...

— Est-elle... euh... de bonne humeur ?

Le fait qu'elle soit arrivée si tôt devait certainement présager qu'elle lui avait pardonné. Tant mieux : cela lui faciliterait les choses.

— Je suis d'excellente humeur, annonça joyeusement une voix dans son dos. Pourquoi ne le serais-je pas, du reste ? Je viens de passer trois semaines sur une île paradisiaque, à prendre des bains de soleil, à nager avec les gentils petits poissons...

Matt fit volte-face, et il se trouva nez à nez avec une Abby qui ne ressemblait en rien à celle qu'il avait quittée, en larmes, la veille au soir. Courageusement, elle avait recouvré son sang-froid et faisait preuve d'entrain et de bonne volonté. Ou alors, elle ne tenait pas autant à lui qu'il l'avait cru. Etait-il donc si facile à reléguer au rang des souvenirs ?

Son élégant tailleur vert foncé faisait ressortir ses cheveux roux, qu'elle avait tirés en arrière puis attachés de façon qu'ils retombent en cascade, mettant en valeur son magnifique cou d'albâtre. Ses yeux étaient clairs et vifs, de leur habituelle couleur moka. Cette apparition lui fit immédiatement oublier ses soucis professionnels, et il l'aurait dévorée sur place s'ils avaient été seuls.

— Vous êtes là. Bien.

Puis il toussa pour se donner une contenance.

— Vous avez deux minutes? reprit-il en ouvrant la porte de son bureau et en s'effaçant pour la laisser passer.

Elle lui lança un « Merci » désinvolte en passant devant lui, comme s'il était le portier de service.

Le temps qu'il ferme la porte et se retourne, elle était déjà assise face à son bureau, bloc-notes et stylo en main.

— Abby, tu n'es pas obligée de...

Elle lui adressa alors un regard innocent, le même que lorsqu'ils avaient fait l'amour pour la première fois.

— Je suis désolé, lâcha-t-il. Je n'ai jamais voulu te blesser ni t'induire en erreur. Et si tu crois que j'essaie de me débarrasser de toi, tu te trompes.

— Vraiment? C'était pourtant bien imité, hier soir.

— Je ne savais plus où j'en étais, et je n'avais pas eu le temps de réfléchir à ce qu'il fallait faire pour nous.

— Pour nous? demanda-t-elle sur un ton qui déstabilisa Matt. Mais maintenant, tu as eu le temps, n'est-ce pas? Tu as pris des décisions au sujet de notre relation... pour nous deux.

— Ou-oui, répondit-il lentement, observant avec beaucoup d'attention le visage d'Abby.

Elle posa alors calmement son bloc et son stylo dans le fauteuil, à côté d'elle, puis elle croisa les mains sur ses genoux et le regarda droit dans les yeux.

— Et?

Assis sur un coin du bureau, il se concentra sur le petit discours qui lui avait coûté de nombreuses heures de sommeil.

— Je veux que nous restions ensemble, commença-t-il.

Elle cligna des yeux, mais il n'aurait su dire s'il s'agissait de surprise ou d'incrédulité.

— Vraiment.

— Oui, mais pas au bureau, continua-t-il, avant qu'elle n'ait eu le temps de lui poser toutes les questions qui devaient se bousculer dans sa tête. Nous ne serions à l'aise ni l'un ni l'autre, et il ne faudrait pas longtemps avant que tout le monde, ici, devine que nous sommes amants.

— Et mon travail ? demanda Abby en se levant de son siège.

Une ombre ternit son regard, lui donnant une nuance sombre et inquiétante qu'il ne connaissait pas.

— Tu m'avais promis, reprit-elle.

— Je t'offre mieux.

Il lui sourit, anticipant son bonheur une fois qu'elle aurait compris.

— Si tu acceptes de démissionner de Smythe International, lui expliqua-t-il en prenant sa main dans la sienne pour la retenir, je t'installerai dans ta propre boutique, ici, à Chicago. Ton indemnité de départ couvrira l'apport initial, et je t'accorderai un prêt à 0 % pour le reste, sans obligation de me rembourser si tu ne le peux pas. Ainsi, nous pourrons passer du temps ensemble sans avoir à nous inquiéter des commérages. Je te prendrai aussi un appartement dans un immeuble proche d'ici, et je paierai le loyer. Qu'en penses-tu ?

Abby lui adressa un regard froid et appuyé.

— Ce que j'en pense ? Que je me sens humiliée !

— Abby..., commença-t-il, paniqué. Tu ne comprends pas. Je t'offre la possibilité de réaliser ton rêve. L'argent pour ouvrir ta propre boutique... Et ce que je n'ai jamais proposé à une femme : la possibilité d'une relation stable.

Il ne pouvait lui offrir plus, et elle devait en être consciente.

— Que suis-je censée te répondre, Matt ? dit-elle en dégageant sa main. Mon avenir, je le vois comme celui d'une femme indépendante, ayant un mari et des enfants. Et toi, tu me proposes de rester ta maîtresse et de me faire entretenir.

— Il ne s'agit pas du tout de cela, gronda-t-il.

— Au contraire, il s'agit exactement de cela, rétorqua-t-elle, en passant devant lui. Comment peux-tu être aussi égocentrique? Tu me veux à portée de la main pour passer la nuit avec moi, mais pas trop près. Tu refuses que tes employés se doutent que leur patron a une aventure avec son hôtesse, alors que c'est l'image que tu souhaitais donner à tes clients parce que cela t'arrangeait et pouvait faire grimper ton chiffre d'affaires.

— Abby, tu te trompes.

— Et que fais-tu de ton discours au sujet de mon manque d'ambition à vouloir rester dans un petit salon de thé de Chicago? De ton désir de m'apprendre le métier, de m'ouvrir des perspectives internationales?

— Rien ne t'en empêche, si tu le souhaites, dit-il calmement, ayant le sentiment désagréable qu'il avait perdu la maîtrise de la situation.

— Mais tu préférerais que je reste là où tu es sûr de me trouver et tu veux continuer à coucher avec moi sans que nous soyons liés l'un à l'autre, lui lança-t-elle avec un regard défiant.

Jamais il ne l'avait vue aussi vibrante, pensant et s'exprimant avec autant de vivacité. Elle le mettait hors de lui. Il bouillait, il était à cran, et il avait envie de poursuivre la discussion, de la provoquer.

— Quel homme n'aurait pas envie de coucher avec toi? demanda-t-il, en lui adressant un sourire volontairement méchant.

Peine perdue. Elle lui décocha en retour un regard qui lui glaça le sang, puis son expression changea mystérieusement.

— Hier soir, mon ex-fiancé m'a appelée.

— Oh, répondit Matt en fronçant les sourcils.

— Il essayait de me joindre depuis quelques jours déjà, et avait laissé plusieurs messages sur mon répondeur. Il veut me voir.

— Et tu vas lui dire que c'est hors de question, bien sûr.

Elle hocha la tête.

— Je ne sais pas encore.

— Quoi ?

Un sentiment purement masculin, mêlant instinct de défense et possessivité, le saisit à la gorge, et son estomac se serra à l'idée qu'Abby puisse se retrouver dans les bras d'un autre.

— Si tu essaies de me rendre jaloux...

— Je sais bien que cela ne marcherait pas, et de toutes les façons, je ne m'abaisserais pas à ce petit jeu, répondit-elle rapidement. Mais le fait d'avoir des nouvelles de Richard m'a fait réfléchir à la raison pour laquelle toi et moi sommes devenus intimes. Matt, je n'ai pas renoncé à mon projet de me marier un jour, mais je ne pourrai le réaliser si je suis engagée dans une relation avec toi.

Soudain, il comprit. Abby n'était pas le genre de femme à s'investir partiellement dans une liaison avec lui tout en restant disponible pour une éventuelle rencontre. Si elle devenait sa maîtresse, elle cesserait de chercher le mari de ses rêves de petite fille. Ils resteraient ensemble un an, deux, cinq... peut-être plus. Mais une fois leur relation terminée, elle se retrouverait à son point de départ — en ayant néanmoins sa propre affaire. Maintenant, il comprenait la frontière que son cœur avait tracée : elle ne renoncerait pas à cette partie de ses rêves pour lui.

— Et dire que je croyais devoir trouver la solution pour éloigner de moi la jeune femme naïve, dit-il dans un rire amer.

— Comme quoi, la vie est pleine de surprises.

Il lui lança un rapide coup d'œil, mais le visage d'Abby n'exprimait ni dureté ni triomphe.

— Oui, murmura-t-il. Des surprises.

Prenant une profonde inspiration, il continua :

— Si tu ne veux ni de l'appartement ni de la boutique, que vas-tu faire ?

— Travailler pour Smythe International... Si tu m'autorises à rester, bien sûr.

Il fronça les sourcils.

— Abby, crois-tu vraiment que ce soit raisonnable? Nous nous verrons souvent, et nous allons en souffrir.

— Matt, j'ai beaucoup apprécié de coucher avec toi. Mais maintenant que notre aventure est terminée, je peux gérer la situation, assura-t-elle de façon presque inaudible.

L'entendre évoquer ainsi leur relation, qui ne serait désormais plus qu'un souvenir, le mit au supplice.

— J'aime mon travail, mes collègues, et tout ce que j'apprends sur le métier. Devrais-je tout abandonner, simplement parce que cela n'a pas marché entre nous?

« Mais tu te trompes! eut-il envie de crier. Nous étions parfaitement bien ensemble! »

Néanmoins, il s'abstint. Il semblait en effet évident qu'ils n'avaient pas la même conception d'une relation amoureuse réussie et, pour sa part, le mariage était hors de question.

— J'apprécierais ton aide si tu décides de rester, répondit-il en maîtrisant sa voix.

Il laissa ses yeux glisser le long du tailleur vert de la jeune femme, se rappelant les douces courbes qui se cachaient en dessous et qui dessinaient cette jolie silhouette.

— Tu es sûre de ton choix?

— Je sais ce que je veux, affirma-t-elle, confiante, en lui lançant un regard étincelant qui le bouleversa.

Abby ressortit du bureau de Matt la tête haute, les yeux secs, et ayant remonté dans sa propre estime... mais ses mains tremblaient de façon irrépressible.

Paula jeta un rapide coup d'œil en direction de la porte de son patron, pour s'assurer qu'elle était bien fermée, puis elle murmura :

— Alors?

Abby haussa les épaules.

— Il ne sait pas ce qui l'attend.

— Bien, répondit Paula avec un clin d'œil. Je vous l'ai déjà dit : tant que vous ne lui montrez pas que vous avez peur et que vous restez sur vos gardes, il ne peut ni vous persécuter ni faire pression sur vous.

Toutefois, ce n'est pas ce qui inquiétait Abby, qui redoutait avant tout de se laisser de nouveau séduire par le regard torride de Matt quand il avait envie d'elle. Elle espéra de tout son cœur qu'elle aurait la force de résister quand ils seraient obligés de travailler tard, le soir, ou bien quand ils voyageraient ensemble.

De retour dans son bureau, Abby composa le numéro de téléphone de son appartement. Dee décrocha à la seconde sonnerie.

— Oui ?

— J'ai survécu, grâce aux conseils de Paula, raconta Abby, tout en se laissant tomber dans son fauteuil et en le faisant pivoter pour regarder le lac Michigan.

Le ciel était gris et apparemment, il allait pleuvoir.

— A priori, il ne t'a pas demandée en mariage lorsque tu lui as annoncé que tu ne voulais plus de lui dans ton lit ?

Malgré la douleur qui étreignait son cœur, Abby éclata de rire.

— Non, en effet. Il voulait m'éloigner d'ici en m'installant dans ma propre boutique, et me faire emménager dans un appartement suffisamment proche du bureau pour pouvoir y passer quand bon lui chanterait.

— Non ? Et que lui as-tu répondu ?

Abby lui relata sa discussion avec Matt, sans toutefois préciser que son cœur battait à se rompre et que son estomac était complètement noué tout le temps que dura l'entretien.

Finalement, elle se rendit compte que la dernière fois qu'elle avait fait l'amour avec lui, c'était réellement la dernière fois. Elle avait fixé les règles, et elle devrait les respecter coûte que coûte. En effet, elle savait que si elle cédait une nouvelle fois à son charme, elle ne vaudrait pas mieux que toutes les autres femmes avec qui le jeune comte de Brighton avait batifolé.

D'un autre côté, quelle chance avait-elle de rencontrer un homme qui serait à la hauteur de Matt? Aucun amant ne réussirait à l'exciter autant que lui. Aucun homme ne susciterait en elle autant de joie, de satisfaction ni d'admiration. A côté de lui, les autres hommes lui paraissaient désormais totalement insignifiants...

Matt regarda le jour décliner par les vitres de son bureau, qui étaient orientées au sud. Les immeubles de Chicago disparaissaient lentement dans une pénombre mauve, et des lumières commençaient à s'allumer ici et là dans la ville. Le lac, sur lequel il avait une vue exceptionnelle, vira du bleugris à une couleur gris foncé avant de devenir complètement noir et se fondre dans la nuit.

Lui aussi avait l'impression de s'éteindre. De quitter un point très lumineux de sa vie pour entrer dans des ténèbres dont il ne savait pas s'il sortirait un jour. Abby lui avait apporté un bonheur inattendu, et elle avait fait naître en lui des sentiments nouveaux et fascinants. Des sentiments qui l'embarrassaient et qui, il devait bien l'admettre, l'effrayaient.

Il fut tiré de ses idées noires par un coup frappé à la porte.

— Oui?

— Je rentre chez moi, l'informa Paula.

En fait, il la croyait déjà partie. Il n'avait cessé de penser à Abby, et avait perdu la notion du temps.

— Merci d'être restée aussi longtemps. Je ne voulais pas...

Les mots semblaient bloqués dans sa gorge, et son esprit devenait de plus en plus confus.

— Cela vous ennuierait de rester cinq minutes de plus?

Paula acquiesça et se dirigea vers le bureau.

— Que se passe-t-il, Matthew?

Il hocha la tête, se leva. Posant ses mains contre la baie vitrée, il sentit encore un peu de la chaleur du soleil emprisonnée dans le verre.

— Je... Je crois que...

Il voulait dire « J'ai peur », mais les hommes n'avouent jamais leur peur.

— Je suis inquiet.

— A quel sujet ?

— Abby. Non, pas pour Abby, corrigea-t-il. Apparemment, elle est capable de s'en sortir toute seule. C'est à mon sujet que je m'inquiète.

— Elle n'est pas comme les autres, n'est-ce pas ? lui demanda Paula, avec un sourire compatissant.

Il acquiesça d'un signe de la tête. Son esprit était de plus en plus confus.

— Vous avez raison. Et elle me rend très heureux.

— Je m'en suis doutée lorsque vous n'êtes pas rentrés des Bermudes à la date prévue.

— J'ai déjà voyagé et couché avec d'autres femmes, répliqua-t-il, sur la défensive.

— Mais vous programmez vos vacances comme s'il s'agissait de voyages d'affaires. Vous ne repoussez jamais votre retour.

— C'est vrai, admit-il en soupirant.

De nouveau, son esprit fonctionnait, mais de façon complètement désordonnée.

— En fait, elle a ses idées, ses buts, et elle ne veut pas en démordre.

— Et elle a entièrement raison, lui fit remarquer Paula.

Il lança à son assistante un regard sombre. Mais de quel côté était-elle donc ?

— Et moi, j'ai mes principes. Ils ne sont pas compatibles. Je ne peux pas lui donner ce qu'elle attend — un mari et des enfants. Et elle ne peut pas me donner ce que je veux.

— Et que voulez-vous ? Une nouvelle maîtresse ? demanda patiemment Paula.

— Non, pas seulement une nouvelle maîtresse. J'ai besoin d'une partenaire. De quelqu'un qui soit mon égale, une femme qui puisse à la fois partager mes affaires et mon lit, et qui me rende également heureux d'un côté comme de l'autre.

— Une femme qui vous aime pour ce que vous êtes ?

— Bien entendu, cela va sans dire.

— Et vous, Matthew ? Vous sentez-vous prêt à l'aimer aussi ?

Aimer. Le fait d'entendre ce mot associé à ses sentiments le pétrifia. Il fut incapable de lui répondre.

— Laissez-moi vous parler de vous, reprit Paula, en attrapant le presse-papiers en onyx noir qui était posé sur le bureau. Vous vous croyez obligé de maîtriser toutes les situations. Etre le patron vous dispense d'être l'ami, le mari, ou plus qu'un partenaire occasionnel dans une aventure sexuelle. Vous n'avez même pas besoin d'être le fils de votre père.

Il lui lança un regard aigu, se sentant à la fois piégé et courroucé par la lucidité de sa secrétaire. Elle l'avait obligé à écouter un sermon qu'il n'avait aucune envie d'entendre. Mais de quoi se mêlait-elle ? Toutefois, il ne put s'empêcher de lui poser la question qui lui brûlait les lèvres.

— Quel rapport avec mon père ?

— Ce n'est pas bien sorcier à deviner, si vous réfléchissez un peu : vous avez quitté l'Angleterre à vingt et un ans et vous n'avez pas revu votre père depuis. Et vous fuyez l'amour et le bonheur quand ils se présentent, parce que vous êtes terrifié à l'idée que la femme que vous aimez puisse vous faire subir la même chose que vos parents, par le passé.

Oubliant sa colère, il réfléchit à ce que Paula venait de lui dire. C'était donc cela ?

— Mais, Abby et moi... nous nous faisions entièrement confiance. Nous tenions l'un à l'autre. Elle compte beaucoup pour moi... et je le lui ai montré.

— Vraiment ?

Eh bien... Il l'avait invitée à dîner dans des restaurants chic. Il l'avait emmenée sur des plages romantiques. Ils s'étaient promenés en calèche au clair de lune, et il lui avait

demandé de rester avec lui et d'être sa... sa quoi ? Sa maîtresse ?

— Avez-vous fait quelque chose pour lui prouver à quel
point vous tenez à elle, quelque chose que vous n'auriez pas
fait pour une autre femme ? reprit-elle.

Il lui avait bien proposé une relation stable, mais aller
plus loin aurait impliqué de lui avouer qu'il l'aimait et qu'il
voulait l'épouser... ce qui était absolument hors de question.

— J'espérais seulement qu'elle comprendrait ce qu'elle
représentait pour moi. Mais cela ne semble pas avoir été suffisant.

Paula posa sa main sur celle de Matt.

— Aimer quelqu'un ne veut pas forcément dire que cet
amour est réciproque.

— Je sais. Seulement, on se sent bigrement mieux
lorsque cela fonctionne dans les deux sens, dit-il avec un rire
amer.

— Il faut saisir votre chance, Matthew. Chaque jour,
vous prenez des risques incroyables pour vos affaires. Pourquoi ne pas prendre un risque qui pourrait transformer votre
vie du tout au tout ?

Lorsque Paula partit, un moment plus tard, il ne l'entendit
pas. Toujours debout devant la baie vitrée, il ne voyait que
les milliers de lumières qui éclairaient la ville, dessinaient
les immeubles, les rues, le trafic routier. Il regretta qu'Abby
ne soit pas là pour profiter de la vue avec lui. Il lui aurait
alors peut-être confié qu'il ne détestait pas vraiment sa mère,
mais qu'il souhaitait seulement connaître la raison de son
départ.

Aimer quelqu'un ne veut pas forcément dire que cet
amour est réciproque.

Paula avait raison... L'amour qu'il portait à sa mère, et
même à son père, était encore enfoui profondément en lui. Il
ne mourrait jamais. Il avait étouffé cet amour pendant toute
sa vie, et il n'en était pas plus heureux pour autant. Allait-il
être idiot au point de s'interdire la chance, ne serait-ce
qu'une fois dans sa vie, d'être aimé en retour ?

Faisant brusquement demi-tour, Matt attrapa le téléphone, puis il appela Abby, dont il avait programmé le numéro. Elle décrocha à la troisième sonnerie, et le son de sa voix propulsa des ondes de chaleur dans tout le corps de Matt.

— Salut, dit-il.

— Matt ?

— Je pensais... Si tu n'as pas encore dîné, nous pourrions peut-être dîner ensemble et en profiter pour parler de... du dossier Johanson.

Elle hésita une fraction de seconde avant de répondre.

— C'est en dehors des heures de bureau. J'ai des projets pour la soirée.

Pourtant, il devina à la tension de sa voix qu'elle aussi devait avoir envie de le voir.

— Bien. Dans ce cas, accepterais-tu une invitation à dîner pour que nous parlions de nous ?

— Le seul nous qui existe concerne le travail, et ce soir, je ne travaille pas.

— Abby, enfin ! C'est idiot. J'ai besoin de te voir et de...

— Bonne nuit, Matt. A demain, au bureau.

Et elle raccrocha.

Incrédule, il fixa le téléphone. Jamais aucune femme n'avait osé lui raccrocher au nez ! Il appuya sur la touche « Bis », et dut attendre la sixième sonnerie.

— Ne recommence jamais ça ! gronda-t-il.

— Je ne vous ai pas raccroché au nez la première fois, mais je pourrais bien le faire cette fois si vous n'arrêtez pas de harceler ma colocataire ! le menaça une voix féminine.

— Dee, c'est vous ? Passez-moi Abby. Je sais qu'elle est là.

— Elle ne veut ni vous parler ni vous voir en dehors du bureau, lui expliqua calmement Dee.

Il grogna. Que pouvait-il faire, à part espérer qu'Abby retrouve la raison ? Néanmoins, pour la faire changer d'opinion à son sujet, il fallait qu'il lui parle... et il se voyait difficilement le faire au bureau, au milieu des autres.

142

✽✽

Les jours qui suivirent, il guetta la moindre occasion de parler à Abby. Mais on aurait dit qu'elle n'était jamais seule. Si elle n'était pas avec Paula, elle se trouvait en réunion avec un commercial, ou bien elle sortait précipitamment du bureau pour un rendez-vous qui, selon elle, était crucial.

Cinq jours plus tard, le vendredi soir, il perdit patience. Il décida qu'il n'appellerait pas, mais qu'il se rendrait directement à son appartement. Ensemble, ils essaieraient de réfléchir à leur avenir commun. Il lui demanderait de venir vivre chez lui, et peu importe les commérages ! Il lui laisserait de nouveau le choix entre la possibilité d'avoir sa propre boutique ou de continuer à travailler avec lui. Mais il fallait en finir avec cette comédie ! Ils seraient amants, et si cela ne convenait pas à quelqu'un, tant pis. Le sentiment de mener sa vie comme bon lui semblait, sans se soucier de l'opinion d'autrui, était libérateur.

Quant à Abby, elle conserverait son emploi et il lui offrait une relation à long terme. Il faudrait que cela lui suffise. Et si elle voulait des enfants... eh bien, il réfléchirait à cette éventualité le moment venu. D'ici là, il devait bien y avoir moyen d'aboutir à un compromis, non ? Toutefois, il devait prendre garde à se ménager une issue de secours, une porte de sortie secrète en prévision du jour où elle ne s'intéresserait plus à lui, ou bien au cas où elle ne serait pas réellement amoureuse de lui. Car il refusait d'être celui que l'on abandonne. Pas une seconde fois.

10.

Quand elle entendit frapper à la porte, Abby lissa sa robe de la main, remit de l'ordre dans ses cheveux et vérifia son rouge à lèvres dans le miroir. Il avait appelé, et elle attendait sa visite. Même si elle n'était pas particulièrement impatiente de parler avec lui, elle comprenait que c'était indispensable, et cela la rassurait de savoir qu'elle avait la meilleure allure possible avant de l'affronter.

Mais quand Abby ouvrit la porte, elle recula, surprise.

— Matt ? Que fais-tu là ?

— J'espère que cela ne te dérange pas que j'arrive à l'improviste, dit-il en lui tendant un bouquet.

L'air hébété, elle regarda les fleurs.

— Je... Elles sont très jolies... mais ce n'est pas franchement le moment.

— C'est maintenant ou jamais, répondit-il, l'air maussade, en entrant dans l'appartement.

Il traversa le salon et observa autour de lui, comme s'il était à la recherche d'un vase. Finalement, il se contenta de poser le bouquet sur la table de verre du salon.

— Il faut que nous parlions. Je suis sûr que nous pouvons arriver à un compromis.

— Un compromis ? répéta-t-elle, en arquant un sourcil. Toi et moi ne sommes pas de simples partenaires dans un accord commercial quelconque, mais nous sommes des personnes, avec des sentiments, des besoins et... et pour l'instant, reprit-elle en hésitant, j'ai besoin que tu partes.

— Non, répliqua-t-il en s'asseyant dans le canapé.

Nerveusement, Abby consulta la pendule murale. Si elle ne le mettait pas dehors rapidement, elle craignait le pire pour les prochaines minutes.

— J'attends quelqu'un, expliqua-t-elle doucement.

Matt la regarda alors fixement, comme s'il ne comprenait pas ce qu'elle venait de lui dire.

— Je serai discret, lui assura-t-il. J'attendrai que tu en aies fini avec...

Désespérée, elle hocha la tête.

— Il sera là d'une minute à l'autre, et nous — enfin, lui et moi — avons besoin de parler seul à seule.

Progressivement, elle vit que Matt prenait pleinement conscience de la situation. Ses traits s'assombrirent et ses poings se crispèrent.

— Tu as un petit ami ? demanda-t-il enfin, d'une voix basse et tendue.

— J'attends Richard.

— Richard, répéta-t-il avec un air morne. Ce n'est pas en sortant avec ce pauvre type que tu vas résoudre quoi que ce soit, Abby.

— Ce que je fais ou pas avec lui ne te concerne pas, rétorqua-t-elle sèchement. Maintenant, je souhaiterais que tu partes.

— Non, affirma-t-il.

Et il se cala confortablement dans le canapé en la regardant d'un air obstiné.

Exaspérée, Abby leva les yeux au ciel, résignée à assister à la rencontre entre les deux hommes les plus importants de sa vie : l'un, qu'elle avait failli épouser ; l'autre, qu'elle désirait plus que tout épouser.

Elle réfléchit aux différentes options qui s'offraient à elle : elle se voyait difficilement mettre Matt dehors manu militari mais elle ne pouvait pas non plus appeler la police. Nerveusement, elle consulta une nouvelle fois la pendule. Et pourquoi ne pas tenter de joindre Richard sur son téléphone portable, et trouver un prétexte pour le retarder, le temps de convaincre Matt de partir ?

Mais la sonnette de la porte d'entrée retentit et, comme un seul homme, Matt et Abby tournèrent leurs regards vers la porte. Lentement, Matt s'installa dans le canapé et il noua les mains autour de son genou, lui souriant avec un air défiant.

— Je suis impatient de rencontrer ton Richard. Tu ne le fais pas entrer ?

Elle se dirigea alors vers la porte avec le même enthousiasme que si elle se dirigeait vers la potence. La main tremblante, elle tourna la poignée et elle se trouva face à... un étranger, peut-être ?

— Richard ?

— Tu aimes ma barbe ? demanda-t-il en se penchant vers elle pour l'enlacer et plaquer un baiser rapide sur ses lèvres. Mais tu es superbe ! Tiens, dit-il en lui tendant un bouquet de marguerites, c'est pour toi.

Ses fleurs préférées... du moins, jusqu'à ce qu'elle rencontre Matt. Désormais, elle avait un faible pour les hibiscus. Les hibiscus des Bermudes, aux couleurs chatoyantes.

— Elles sont... très jolies, Richard, répondit-elle en se dégageant de son étreinte tout en jetant un coup d'œil rapide à Matt.

Ce dernier avait la mine sombre, et il fixait Richard comme s'il représentait un danger en puissance. L'espace d'un instant, le regard de Matt se tourna vers Abby.

Rougissant, elle tourna la tête.

— Richard, je te présente mon employeur, Matthew Smythe.

Le visage de Richard s'éclaira d'un large sourire.

— Alors, c'est vous qui m'avez volé mon Abigail, dit-il en riant. J'ai beaucoup entendu parler de vous !

— Vraiment ? demanda Matt, sur la défensive.

— Oui, vraiment, et j'ai aussi lu beaucoup de choses

sur vous. Le « Comte Américain » : c'est bien ainsi que les journaux vous surnomment, n'est-ce pas ?

Tout en parlant, Richard avait traversé la pièce et lui donna un coup de coude dans les côtes, en plaisantant.

— Vous n'êtes donc pas au courant qu'il n'y a pas d'aristocrates dans ce pays ?

Matt se força à lui sourire avec indulgence.

— Matt était sur le point de partir, déclara Abby, en s'interposant entre les deux hommes. Nous devions parler de quelque chose, mais cela peut attendre.

— Bien, enchaîna Richard, en tendant la main à Matt. Ravi de vous avoir rencontré. Soyez gentil avec ma petite Abby au bureau, d'accord ?

Abby n'en croyait pas ses oreilles. Sa petite Abby ! Quel toupet ! Mais elle ne pouvait pas se permettre de le reprendre devant Matt, s'estimant déjà heureuse si ce dernier ne collait pas son poing dans la figure de Richard avant de quitter l'appartement.

Matt fixa la main que lui tendait l'autre homme, puis il détourna le regard sans la serrer.

— Es-tu sûre que c'est ce que tu veux, Abby ? demanda-t-il.

— Je ne veux rien, insista-t-elle. J'ai seulement souhaité que Richard passe pour discuter, c'est tout.

Matt observa le visage de la jeune femme, puis il plongea ses yeux dans les siens.

— Je suis désolé de ne pas te donner tout ce que tu veux. Mais je suis certain au moins d'une chose : c'est que lui aussi en est incapable.

Puis, faisant volte-face, Matt sortit.

Abby resta comme pétrifiée à fixer la porte, jusqu'à ce qu'elle sente une main se poser sur son épaule.

— Entre lui et toi, il y a plus que des relations de travail, n'est-ce pas ?

Elle se tourna alors vers Richard, dont elle avait cru être amoureuse à une époque de sa vie, et elle ressentit uniquement de la tristesse.

— J'aime beaucoup Matt, murmura-t-elle.

— Tu crois que tu l'aimes à cause de son argent, lui asséna amèrement Richard.

— Tu te trompes !

— Et moi je te parie le contraire. Moi, je suis un type ordinaire, mais le comte, lui, il est millionnaire et il peut t'offrir tout ce que tu veux.

— C'est faux ! cria-t-elle dans un sanglot.

La bouche de Richard se tordit alors dans une sorte de rictus.

— Tu te sers de lui, Abby. Reconnais-le.

Subitement, toute la colère, la frustration et la confusion de la semaine précédente remontèrent à la surface et la submergèrent. Elle avait envie de lui crier à la figure qu'elle se moquait bien de la fortune de Matthew Smythe, et qu'elle l'aimait pour ce qu'il était, c'est-à-dire un homme merveilleux.

Mais sur le moment, elle se sentit tellement désespérée qu'elle agita ses mains en l'air, se posant mille et une questions.

— Je me suis peut-être servie de lui, commença-t-elle à voix basse, d'une certaine manière.

A cet instant, Abby tourna la tête, entendant des pas qui s'éloignaient dans le couloir. Certainement quelqu'un qui passait devant la porte, en se dirigeant vers l'escalier, pensa-t-elle.

— Je ne sais plus. Il voulait m'aider, et je l'ai laissé faire.

Certes, elle parlait de leur arrangement professionnel, mais aussi de leurs relations bien plus intimes. Il l'avait en effet guidée dans la découverte de sa féminité de la plus douce et de la plus merveilleuse des façons.

Abby regarda Richard, dont le visage était crispé et rouge de colère.

— Tu as couché avec lui, l'accusa-t-il. Tu as refusé de faire l'amour avec moi alors que nous étions fiancés, mais tu as couché avec ton patron !

— C'est un sujet que je refuse d'aborder avec toi, répondit Abby, dont le cœur battait à se rompre. Tu as refusé de m'épouser, et en ce qui me concerne, je ne me souviens pas que tu sois revenu sur ta décision.

Richard avait le souffle court, et ses yeux se promenaient nerveusement autour de la pièce, comme s'il cherchait une explication raisonnable au comportement d'Abby... ou un objet pour la frapper.

— Moi, je n'étais pas riche, gronda-t-il, alors tu as attendu quelqu'un qui l'était. Tu n'es qu'une... qu'une sale...

— Sors d'ici tout de suite ! lui ordonna Abby. Sors de chez moi.

Et elle s'avança vers lui, le menton fièrement dressé, son regard intense et direct l'obligeant à reculer. Il était en effet sur le point de la traiter d'un nom qu'elle ne lui aurait jamais pardonné.

Sans ajouter un mot, il sortit en claquant rageusement la porte derrière lui. Abby se laissa alors tomber sur le canapé, cachant sa tête dans ses mains pour pleurer. Tout allait si mal depuis quelques jours. Richard l'avait appelée presque chaque soir, et elle avait finalement accepté de le rencontrer pour avoir une dernière discussion, pour lui expliquer calmement que, quoi qu'il ait pu y avoir entre eux, tout était désormais terminé. Sa vie avait changé. Elle n'avait plus les mêmes rêves qu'avant, et elle se rendait compte qu'elle avait commis une erreur en lui promettant de l'épouser. Elle voulait lui dire le plus gentiment possible qu'il leur avait rendu service à tous les deux en changeant d'avis, parce qu'ils n'auraient jamais été heureux ensemble. Mais dès que Matt était arrivé, elle avait perdu le contrôle de la situation. Tout en sanglotant, elle se sentit envahie par un tel désespoir qu'elle douta d'en ressortir indemne...

**

Matt passa la nuit à marcher et marcher encore, comme il l'avait déjà fait un après-midi, aux Bermudes. Lorsque le matin arriva, il était incapable de se souvenir par où il était passé ni à quoi il avait occupé toutes ces heures. Il se rappelait vaguement s'être arrêté dans de nombreux bars, mais il n'avait pas tant bu que cela. En fait, il y était entré le temps de se reposer un peu et de se réchauffer, puis il repartait.

Il se retrouva finalement dans le centre-ville, face au musée des Beaux-Arts, devant la vitrine d'une boutique à la mode. Il frissonna, et se remémora toutes les idées noires qu'il avait ressassées pendant ces dernière heures, certainement parmi les plus noires de sa vie. Des heures aussi douloureuses que celles qu'il avait vécues au moment du départ de sa mère, il y avait si longtemps.

Et aujourd'hui, il venait de perdre Abby.

Le pire, c'est qu'il l'avait perdue alors qu'elle n'avait jamais vraiment été sienne. Si à un moment, il avait cru qu'elle était peut-être amoureuse de lui, il avait compris hier soir qu'il s'était trompé. Incapable de partir en la laissant seule avec Richard Wooten, il s'était attardé devant sa porte. Non pas pour espionner leur conversation, mais pour s'assurer que tout allait bien. Et c'est là qu'il l'avait entendue avouer qu'elle l'avait utilisé, qu'elle avait été attirée par la chance que cela pouvait représenter pour la réalisation de ses rêves. Cet aveu l'avait anéanti. Pourtant, il avait cru lire dans son âme qu'elle ne cherchait pas à profiter de lui mais qu'elle l'aimait comme jamais une femme ne l'avait aimé auparavant. Apparemment, il s'était trompé.

Il se rendit directement au bureau, sans prendre la peine de passer à son appartement. Il avait oublié qu'il avait demandé à Paula de venir, en ce samedi matin, et cette dernière l'accueillit avec un sourire qui s'évanouit immédiatement dès qu'elle vit sa mine décomposée.

— Que vous arrive-t-il? demanda-t-elle, tout en se levant pour s'avancer vers lui. Matt, vous allez bien?

— Oui, marmonna-t-il, en passant devant elle sans même ralentir.

Il devait vraiment avoir une allure pitoyable, pensa-t-il.

— Apportez-moi du café. Et aussi des fruits frais, si l'épicerie d'en bas est ouverte.

Puis il s'enferma dans son bureau, sortit un costume et une chemise propres de l'armoire qui se trouvait dans la pièce et il prit une douche rapide dans sa salle de bains privée. Quelques minutes plus tard, il s'assit à son bureau pour réfléchir à quoi ressemblerait son avenir sans Abby.

De nouvelles perspectives intéressantes s'offraient à Smythe International. En effet, dans les jours qui avaient suivi son retour des Bermudes, il avait réussi à convaincre ses deux clients de rester chez lui au lieu de signer avec Joseph Cooper, et il avait eu l'occasion de racheter l'un de ses concurrents. Six mois plus tôt, de telles nouvelles l'auraient fait vibrer de satisfaction mais aujourd'hui, il s'en moquait éperdument.

Paula entra dans le bureau sans frapper, et il leva vers elle un regard désespéré.

— Vous avez envie de me raconter ce qu'il s'est passé hier soir? On dirait que vous avez erré toute la nuit dans les rues, dit-elle en posant devant lui un plateau qui contenait une salade de fruits frais et un muffin.

Ensuite, elle lui servit une tasse de café.

— Une déception..., se contenta-t-il de répondre, ne voulant pas montrer combien il souffrait, mais espérant secrètement que Paula essaierait de lui soutirer des confidences.

Il avait besoin que quelqu'un convienne avec lui que la vie était cruelle et que l'on s'était moqué de lui.

— Cela a un rapport avec Abby? demanda calmement Paula.

Il la regarda avec ses yeux rougis par la fumée de cigarette et le manque de sommeil.

— Bien vu.

— Vous savez, je n'ai pas grand mérite, répondit-elle

sur un ton suffisant. J'ai deux grands fils qui ont déjà connu des chagrins d'amour. Qu'avez-vous fait, Matt ?

Il n'en croyait pas ses oreilles !

— Ce que j'ai fait ? Moi ? Mais je n'ai rien fait ! Je pensais qu'Abby... qu'elle était...

Incapable de terminer sa phrase, il hocha la tête.

— Amoureuse de vous ?

— Eh bien... oui. Je pensais qu'elle m'aimait. Du moins, c'est l'impression que j'en avais lorsque nous étions aux Bermudes. Et après notre retour à Chicago, il semblait évident qu'elle espérait que je m'engage d'une manière ou d'une autre envers elle. J'ai fait de mon mieux...

— De votre mieux ? demanda Paula, dubitative, tout en s'asseyant face à lui. Que voulez-vous dire, Matthew ?

— Bon sang... Eh bien, je lui ai dit que je ne pourrais pas travailler avec si elle était ma maîtresse, alors je lui ai proposé de l'aider à ouvrir sa propre boutique et de l'installer dans un appartement de standing.

Faisant mine de réfléchir, Paula inclina la tête sur le côté.

— Surprenant. Et elle n'a pas apprécié une offre aussi généreuse ?

— Elle m'a envoyé promener. Et maintenant, elle revoit son ex-fiancé.

— Vraiment.

Il commençait à se sentir plus à l'aise. Il avait le sentiment qu'il pouvait tout confier à Paula — sa colère, sa confusion, son envie dévorante d'être avec Abby même s'il souffrait d'avoir été trahi. Il lui raconta tout.

Au bout de quelques minutes, elle finit par dire :

— Abby m'a appelée ce matin.

— Ah oui ? demanda-t-il en plissant les yeux.

Paula acquiesça.

— En ce qui concerne ce jeune homme, elle lui avait demandé de passer chez elle pour lui annoncer que tout était définitivement terminé entre eux.

— C'est ce qu'elle vous a affirmé?

Il se demanda ce qu'Abby avait encore pu révéler à sa secrétaire personnelle...

— Et quoi d'autre?

— Abby me fait confiance, répondit Paula. Je n'ai pas le droit de vous répéter ce qu'elle m'a confié, Matt. C'est vraiment une jeune femme exceptionnelle que j'aime beaucoup, et je ne veux pas la voir souffrir, ni vous non plus.

— Que pensez-vous du fait qu'elle se soit servie de moi pour mon argent? lui rétorqua-t-il. C'est elle-même qui l'a reconnu.

Paula rit doucement.

— Si vous croyez qu'elle vous a manipulé ou bien qu'elle s'intéressait uniquement à vos millions, c'est que vous ne la connaissez pas.

Tendant le bras, elle posa sa main sur celle de Matt. Parler à Paula ne lui avait été d'aucun réconfort, et il éprouvait seulement une douleur sourde qui lui étouffait le cœur. Pourtant, lorsqu'il ferma les yeux et accepta sa compassion, il comprit toute la signification de son geste. S'il avait eu une mère, elle n'aurait pu lui apporter un meilleur soutien dans une situation semblable.

— La seule faute d'Abby, c'est de suivre son cœur, continua Paula en soupirant. Et si vous ne pouvez lui donner le vôtre, Matt, éloignez-vous d'elle. C'est le meilleur service que vous puissiez lui rendre.

Les jours suivants, Abby se rendit compte que Matt passait le plus clair de son temps au bureau. Il réduisit le nombre des rendez-vous d'affaires au strict minimum, et il annula un voyage sur la côte Ouest. On aurait dit qu'à chaque fois qu'elle sortait de son bureau pour aller voir un commercial ou quelqu'un des services administratifs, Matt se trouvait lui aussi dans les parages.

Au cours d'une réception donnée en l'honneur de deux

nouveaux clients, elle crut qu'il la surveillait tout en ressassant ses pensées, et elle aurait donné cher pour les connaître.

Pendant quelques semaines, ils n'avaient plus fait qu'un, et elle lui avait appartenu comme jamais elle n'avait appartenu, et comme elle n'appartiendrait jamais, à un homme. Les rares fois où ils se retrouvaient seuls, elle ne pouvait s'empêcher de se sentir attirée par lui, au point qu'elle avait parfois du mal à se contrôler et ne pas se jeter dans ses bras.

Par moments, elle avait l'impression qu'il faisait tout pour attirer son regard. En effet, chaque fois qu'elle relevait la tête après avoir consulté des notes ou bien un rapport, elle se rendait compte qu'il la regardait. Attendait-il quelque chose d'elle? Elle n'en avait aucune idée. De toutes les façons, ne lui avait-elle pas déjà donné tout ce qu'elle pouvait lui donner?

Un jour, elle pénétra dans son bureau, pensant qu'il était absent pour la journée, mais elle entendit des pas dans son dos. Elle se retourna alors et le vit fermer la porte, tout en gardant les yeux fixés sur elle.

— Je suis désolée, murmura-t-elle. Je venais juste prendre le dossier Brinkley.

Matt hocha la tête mais resta muet. Il marcha lentement vers elle, tel un gros chat sauvage à l'affût, prêt à sauter et réagir au moindre mouvement de sa proie.

— Je m'en vais, dit-elle.

— Pas encore.

Ne sachant que faire, incapable de bouger, d'émettre le moindre son, elle le regarda se rapprocher. La chaleur qui émanait de son corps emplissait le minuscule espace qui les séparait, et elle s'attendit qu'il l'enlace et l'embrasse avidement. Mais il se contenta d'effleurer tendrement le bout de son nez.

— Où es-tu? demanda-t-il, la voix rauque.

— Je ne comprends pas, répondit-elle en fronçant les sourcils.

— Où est ton cœur, Abby? Avec ce Richard? Avec moi? Ou alors ailleurs?

La candeur de la question la fit sourire, et il lui fallut quelques secondes pour rassembler ses esprits.

— Richard est parti. Il ne reviendra pas, annonça-t-elle prudemment.

— Et en ce qui concerne les deux autres options?

Elle prit une profonde inspiration, mais cela ne suffit pas à lui donner du courage.

— Honnêtement, je n'en sais rien. Il est évident que nous n'attendons pas la même chose de la vie. Je serais capable de renoncer à beaucoup de choses pour toi, Matt, mais pas aux enfants, ni à l'espoir de passer ma vie entière avec le même homme.

C'est à ce moment qu'il l'embrassa. Légèrement. Longuement. Son cœur se mit à battre à contretemps et brusquement elle sentit ses jambes se dérober.

— Reviens vers moi, murmura-t-il. Viens vivre avec moi. Pour le reste, nous trouverons une solution.

Abasourdie, elle le regarda.

— Tu veux que je vienne vivre avec toi?

Mais il n'avait pas prononcé le mot « mariage », et les enfants devaient tomber dans la catégorie fourre-tout qu'il appelait « le reste ».

— Je me moque des commérages, insista-t-il. Je veux que tu fasses partie de ma vie.

Les mains de Matt allaient et venaient le long des bras de la jeune femme, envoyant des frissons troublants dans tout son corps. Sa bouche frôla la tempe d'Abby, ses lèvres, sa gorge. Plus que toute autre chose, elle désirait se retrouver allongée à côté de lui, sur un lit aux draps frais, et le laisser faire toutes ces choses merveilleuses qu'il lui avait révélées aux Bermudes.

Mais ils se trouvaient dans le bureau de Matt, en plein jour, et ils pouvaient être surpris à tout moment.

— Matt, dit-elle d'une voix haletante.

— Réponds oui.

Elle se serra tendrement contre lui.

— Non. Il y a trop d'inconnues. Je ne veux pas prendre le risque d'emménager avec toi si je ne sais pas ce que nous allons devenir.

Fronçant légèrement les sourcils, il posa ses lèvres sur la joue d'Abby.

— Moi, je sais ce que nous allons devenir. Nous serons le plus heureux couple de la Terre.

— Ce sont tes hormones qui parlent.

— Bien plus que cela, continua-t-il en hochant la tête. Donne-nous une nouvelle chance, Abby. Nous parlerons, ferons l'amour, et tout ira bien.

Jamais elle n'avait été aussi tentée d'accepter, mais une petite voix venue de son passé lui souffla de faire attention. Il ne s'engageait pas suffisamment envers elle. Il lui promettait une maison, des ébats passionnés, une présence à ses côtés... mais rien de plus. En fait, une relation réussie au sens de Matt durait un mois, peut-être un an alors que pour elle, une relation réussie durait l'éternité. Le mariage, même s'il ne constituait pas une garantie de bonheur, représentait malgré tout un engagement solennel qu'elle ne pourrait honorer et auquel elle ne croirait que s'il y croyait lui aussi.

— Non, Matt, répondit doucement Abby, en caressant tendrement ses traits torturés. Ce n'est pas parce que je ne t'aime pas. Ne pense jamais cela. Mais je te crois incapable de changer. Tu t'es coupé de ton père, de toute ta famille en réalité. Tu as construit une barrière affective entre toi et les autres, et on ne peut pas faire confiance à un homme comme toi.

— Donne-moi une chance.

Elle lui adressa un sourire triste.

— Je ne veux pas risquer mon avenir sur une promesse en l'air. J'ai besoin d'une preuve de ta sincérité.

Sa vue se brouilla, et des larmes roulèrent le long de ses joues.

— Matt, c'est la chose la plus difficile que j'aie jamais faite.

Puis elle se dégagea de son étreinte et battit rapidement en retraite vers la porte.

— Tu auras ma démission demain. C'est plus que je ne peux en supporter.

N'osant pas rester une minute supplémentaire dans le bureau de Matt, elle sortit. A croire que les hommes étaient tous de beaux parleurs. Richard aussi lui avait fait des promesses, avant de changer d'avis, et la douleur qu'elle avait alors ressentie avait été pratiquement insupportable. Toutefois, elle savait désormais qu'elle n'était pas amoureuse de lui. Alors, si jamais elle faisait confiance à Matt et qu'il finissait par la quitter un jour, elle en mourrait. Il n'y avait donc qu'une seule solution : sortir de la vie de Matt tant qu'il lui restait encore un minimum de fierté. Ce n'est qu'à ce prix-là qu'elle survivrait peut-être...

11.

Le jeune comte de Brighton eut l'impression de traverser les jours suivants dans la grisaille. Peu importe que le soleil brille ou que la ville soit dévastée par un typhon, un brouillard terne s'était refermé autour de lui. Machinalement, il continua à travailler : il se rendit à Los Angeles et revint ; il fit un voyage rapide à New York pour deux rendez-vous d'affaires et il signa même un contrat avec un nouveau client. Mais ce qu'il croyait jusqu'alors être sa raison de vivre ne lui procurait plus ni satisfaction ni joie.

Les jours où son emploi du temps ne lui laissait aucun répit, Matt se sentait malgré tout déprimé et il éprouvait une profonde solitude, même en compagnie d'autres personnes. Abby l'avait quitté, et il essayait tant bien que mal de respecter sa décision en la laissant tranquille. Il n'appela pas, et n'alla pas la voir chez elle. Mais chaque jour, il passait en voiture devant son immeuble, et il regardait désespérément en direction de sa fenêtre, se demandant si elle était là ou bien si elle était partie, seule ou avec quelqu'un.

Un mois passa, et il tint sa promesse. L'indemnité de départ d'Abby était généreuse et elle lui permettrait de payer la caution pour une petite boutique, dans un quartier respectable de la ville. En plus du chèque, qu'il lui avait fait remettre en mains propres par l'un de ses coursiers, il lui avait donné le nom d'un agent immobilier avec qui il avait souvent travaillé, et celui d'un gestionnaire de crédit fiable qui l'aiderait à obtenir l'argent qui lui manquerait pour lancer son affaire. Elle connaissait déjà les principaux fournisseurs du marché. Elle aurait au moins appris cela en travaillant à ses côtés...

Certains jours, il était inconsolable et amer d'avoir perdu Abby, alors que d'autres, il éprouvait une tristesse oppressante. Il n'avait pas pleuré depuis le départ de sa mère, quand il était enfant, mais certains matins, les sanglots lui serraient la gorge quand il se réveillait seul dans son lit. Et il suffisait qu'il trouve un cheveu roux sur l'un de ses vêtements pour se sentir complètement perdu.

Les journées devinrent de plus en plus fraîches, et la chute des feuilles autour du lac Michigan annonça la fin de l'été. Malgré le temps qui passait, le chagrin de Matt ne s'atténuait pas et un jour, il entra dans le bureau et se planta devant Paula.

Quand elle leva les yeux vers lui, on aurait dit qu'elle avait deviné ce qu'il avait à lui annoncer.

— Il faut que j'essaie encore une fois, affirma-t-il.

Elle hocha la tête, l'air grave.

— J'aimerais pouvoir vous dire qu'il vous reste une chance, mais Abby a peut-être refait sa vie maintenant.

Refait sa vie... ou en d'autres termes : rencontré un autre homme.

— Possible.

Il déglutit difficilement.

— Avez-vous eu de ses nouvelles depuis...

Et il désigna la porte.

— Nous nous téléphonons de temps à autre, reconnut Paula.

— Et alors ?

— Je crois qu'elle voit quelqu'un, mais j'ignore si c'est une relation sérieuse ou non.

Matt inspira profondément, puis exhala un long soupir. Il connaissait Abby : elle n'était pas du genre à prendre un amant au hasard, uniquement pour se consoler d'une déception amoureuse. Pourtant, il lui avait révélé des désirs, avait aiguisé des appétits, et il ne serait pas là pour les satisfaire. Cette pensée manqua le rendre fou.

— Qu'allez-vous faire ? s'enquit Paula.

— Je viens de comprendre que je ne peux pas me contenter de lui demander de revenir travailler ici, ni de revenir vers moi, répondit-il en serrant les dents.

— Vrai, reconnut-elle.

— Il faut que je lui apporte la preuve que je me suis réconcilié avec mon passé. Ce n'est qu'à cette condition qu'elle me croira vraiment capable de l'aimer.

Paula fronça les sourcils.

— Et qu'envisagez-vous de faire ?

— Je ne le sais pas encore, mais je sais que j'aurai besoin de vous le moment venu. Enfilez votre manteau : je vous invite pour le petit déjeuner. Nous avons besoin de mettre notre stratégie au point.

Paula attrapa donc sa veste de cuir, qui était accrochée à un portemanteau à côté de son bureau, mais elle posa sa main sur le bras de Matt avant qu'il ne se dirige vers la porte :

— Il ne s'agit pas de posséder Abby, murmura-t-elle. Ce n'est pas une nouvelle entreprise à acheter.

— Je sais, admit-il gravement.

— Vous l'aimez ?

Sans hésiter, il répondit :

— De toute mon âme.

Au moment où Dee sortit de la cuisine, Abby posa sa convention de prêt sur la table du salon pour répondre au téléphone.

— Oh, tu as décroché ?

Abby acquiesça.

— Allô ? dit-elle dans le combiné.

— C'est Paula, mon petit.

— Paula ! répondit Abby avec un large sourire. Quelle

bonne surprise de vous entendre ! Comment cela va, au bureau ?

Elle posait toujours la question de façon impersonnelle, sans mentionner de nom. Et en tous les cas, jamais celui de Matt.

Paula lui avait appris quelques semaines plus tôt qu'une nouvelle hôtesse avait été embauchée, et qu'elle semblait bien se débrouiller. Pourtant, Abby refusait d'imaginer qu'une autre femme puisse voyager avec Matt, résider dans son luxueux appartement new-yorkais, ou encore dormir dans la somptueuse villa des Bermudes.

— Tout le monde va bien... Nous sommes seulement un peu sur les nerfs, en ce moment.

— Ah bon ?

Des frissons de panique parcoururent le dos d'Abby. Même si elle ne travaillait plus pour Matt, elle se sentait toujours concernée par les choses qui le touchaient de près.

— Que se passe-t-il ?

— Kerri, notre nouvelle hôtesse, a dû rentrer chez elle pendant quelques semaines, le temps que sa mère se fasse opérer. Or, Matt avait prévu d'inviter des personnes très importantes aux Bermudes. Il y tient vraiment beaucoup, mais il ne peut s'en sortir tout seul et je ne peux pas partir en laissant mes deux garçons, ne serait-ce que pour une journée.

L'inquiétude perceptible dans la voix de Paula ne laissa pas Abby indifférente, et elle demanda :

— Est-ce que je peux vous aider ?

En fait, elle avait seulement l'intention de proposer à Paula de passer quelques coups de fil pour voir si elle pouvait trouver une remplaçante à Kerri, mais Paula ne l'entendit pas de cette oreille.

— Eh bien, répondit précipitamment cette dernière, pourquoi ne pas remplacer notre hôtesse pendant quelques jours ?

Abby inspira profondément.

— Je ne pourrais pas. Enfin... J'ai un nouveau travail, et...

— Cela ne vous prendra que quelques jours, et vous connaissez déjà le travail. Je peux passer les commandes d'ici. Vous n'avez qu'à sauter dans un avion, veiller à la préparation de la réception, enfiler une jolie robe et sourire aux invités.

— Vous avez raison, Paula, mais très honnêtement, je ne me sens pas capable de me retrouver en présence de Matt. Pas là-bas. J'ai trop de souvenirs dans cette maison.

— Je sais, mon petit, finit par convenir Paula. C'est un peu comme un deuil, n'est-ce pas? Vous avez besoin de tourner la page, et vous devez voir Matt une dernière fois pour lui prouver, ainsi qu'à vous-même, que vous survivrez, avec ou sans lui. Ce n'est qu'à cette condition que vous retrouverez la paix.

— Je ne sais pas..., soupira Abby.

— Il a besoin de vous, murmura Paula. Bien plus que vous ne pouvez l'imaginer. Vous ne le croyez peut-être pas, mais il vous a donné plus qu'à n'importe quelle autre femme. Alors, rendez-lui et rendez-nous ce petit service. S'il vous plaît.

Abby ferma les yeux. Ses oreilles bourdonnaient, et ses mains tremblaient. Serait-elle assez forte?

— Je le ferai pour vous, Paula. Je sais combien il peut être épouvantable quand les choses ne tournent pas comme il le souhaite. Travailler avec lui sera un véritable enfer pour tout le monde.

Abby aurait juré qu'elle avait entendu un petit cri de triomphe étouffé à l'autre bout de la ligne.

— Pardon?

— Rien, rien, répondit Paula. C'est seulement que je suis soulagée à un point que vous ne pouvez imaginer. Voyons quelques détails, maintenant.

Trois jours plus tard, Abby débarqua à l'aéroport de St George. Le chauffeur de Matt l'attendait juste après la douane.

— Bonjour, Ramon. Je suis ravie de vous revoir, dit-elle tandis que l'homme prenait son sac de voyage.

— Vous nous avez manqué, à ma femme et à moi, répondit-il avec une sincérité non feinte. Maria a beaucoup apprécié votre compagnie.

— Et c'était réciproque, reconnut Abby avec un pincement au cœur qui l'empêcha de continuer.

Autant se consacrer directement au travail plutôt que de ressasser inutilement ses souvenirs.

— Est-ce qu'il y a beaucoup à faire avant la réception ?

Ramon lui lança un étrange regard oblique.

— Pas tant que cela. La plupart des invités sont arrivés hier. Le comte les a emmenés pêcher en mer pour la journée, et ils ne reviendront pas avant ce soir. Maria n'est pas impatiente de les voir revenir.

— Et pourquoi donc ? demanda-t-elle, en souriant devant la grimace de Ramon.

— A cause de tous ces poissons qu'il faudra nettoyer.

Abby éclata de rire.

— Eh bien, nous en serons quittes pour l'aider, non ?

La trajet jusqu'à Smythe's Roost, au centre de l'île, ne prit pas plus de trente minutes, même à cette heure animée de la journée. En effet, entre midi et 14 heures, les bureaux de la capitale, Hamilton, se vidaient quasiment le temps que leurs employés sortent déjeuner, et peu d'entre eux semblaient atteints par cette manie très américaine de manger au bureau.

La villa était aussi belle que dans ses souvenirs. Les fleurs abondaient dans le jardin, et les adorables rainettes chantaient toujours leur mélodie amoureuse. Des oiseaux multicolores volaient au-dessus des palmiers royaux tandis que les petits lézards se faufilaient à toute vitesse dans les buissons à l'approche de la voiture. C'était un véritable paradis tropical.

En une fraction de seconde, Abby se remémora tous les moments de bonheur que Matt et elle avaient partagés, avant d'être submergée par les regrets. Dans deux jours, elle quitterait les Bermudes, après avoir vu Matt certainement pour la dernière fois. Elle espéra de tout son cœur que Paula ait eu raison, et que ce serait une expérience positive, qui lui prouverait qu'elle pouvait vivre sans lui.

Maria, qui portait une robe orange vif, l'accueillit à l'arrière de la maison.

— Entrez, entrez, mademoiselle. Nous sommes si contents que vous soyez de retour.

— Merci, murmura aimablement Abby, malgré la douleur qui étreignait son cœur et le nœud qui lui serrait l'estomac.

Ramon monta son bagage au premier étage. Lorsqu'il arriva devant la chambre principale, Abby le stoppa d'un signe de la main.

— Non. Le comte et moi... Il vous a certainement dit que je dormirais dans une autre chambre.

Se retournant, le domestique lui sourit par-dessus son épaule.

— Lord Smythe nous a indiqué qu'il vous la laissait, parce que vous vous y sentiriez plus à l'aise. Lui, il dort ailleurs.

— Oh, se contenta-t-elle de répondre, se sentant idiote d'avoir tiré trop rapidement des conclusions.

Après tout, Matt ne devait pas avoir plus envie qu'elle de se retrouver dans une situation délicate.

— Bien sûr.

La pièce était encore plus belle que dans ses souvenirs. Des voilages vaporeux volaient dans la douce brise soufflant depuis le port d'Hamilton, et le parfum des frangipaniers et du chèvrefeuille entrait par les fenêtres ouvertes. Le mobilier blanc était mis en valeur par les motifs rose et vert pastel de la garniture de lit et les aquarelles accrochées aux murs. C'était une pièce apaisante, et il suffisait de pénétrer à l'intérieur pour se sentir rasséréné.

Abby se contenta de sortir sa trousse de toilette et la robe qu'elle porterait ce soir, laissant les autres vêtements dans son sac. Pour un si court séjour, elle jugea en effet inutile de ranger ses affaires dans les tiroirs.

Après s'être rafraîchie et remaquillée, elle se rendit dans le bureau de Matt. Comme elle s'y attendait, il y avait laissé des instructions à son intention : elle devait préparer le joli salon qui ouvrait sur la véranda, à l'arrière de la maison. Il voulait du champagne, afin de commencer la soirée par un toast, ainsi que des canapés, du caviar et une sélection de fruits et de fromages locaux. Elle s'efforça de choisir des mets qui s'accordaient au mieux avec le champagne français, se demandant pourquoi il avait choisi cette boisson alors que, d'habitude, il préférait offrir à ses invités un large choix de vins et de cocktails. Finalement, elle conclut qu'il devait vraiment s'agir d'une occasion particulière pour lui, comme le lui avait expliqué Paula.

A 5 heures, elle avait terminé, et il ne manquait plus que les convives. Ils n'étaient pas encore rentrés de leur promenade en mer, ce qui lui laissait le temps de se changer pour être prête à les accueillir. Elle demanda à Maria la liste des invités et les dossiers que Matt gardait sur chaque client, mais la cuisinière eut alors une réaction qui ressembla fort à de la panique. En tout cas, elle évita de croiser le regard interrogateur d'Abby.

— Il n'a rien laissé, se contenta-t-elle de répondre. Lord Smythe sera là pour vous présenter aux autres.

Abby haussa les épaules. Après tout, c'était lui le patron...

Elle monta dans sa chambre pour se préparer, et elle décida que le champagne méritait un chignon sophistiqué. Avec ses cheveux relevés, des boucles d'oreilles en or et une robe de cocktail noire ornée de perles achetée à New York, quand elle travaillait encore pour Matt, elle se sentait invincible. Rien ne pourrait l'atteindre, ce soir, se dit-elle, et elle ne se laisserait pas déstabiliser par ses sentiments.

A sa plus grande surprise, elle entendit des voix en s'approchant du salon et quand elle pénétra dans la pièce, elle y découvrit plusieurs couples occupés à bavarder autour d'un vieil homme, qui semblait monopoliser leur attention. Elle eut immédiatement l'impression que tous les invités se connaissaient les uns les autres, et même qu'ils faisaient partie d'un même complot expliquant leur présence ici. Une présence dont elle ignorait la raison. Jetant un coup d'œil rapide autour de la pièce, Abby trouva Matt en conversation avec un couple d'une rare beauté, qui dégageait une majesté indéniable. Les yeux de la jeune femme rencontrèrent ceux d'Abby et elle lui adressa un sourire éblouissant avant de chuchoter quelques mots à l'oreille de Matt.

Celui-ci se retourna, et le cœur d'Abby cessa immédiatement de battre. Immédiatement, il se dirigea vers elle, lui tendant la main, le regard brûlant d'impatience.

Le regard d'Abby était comme aimanté par celui de Matt. Elle voulut avancer, mais elle en fut incapable, tout comme elle était incapable de reculer.

— Chers tous, je vous présente Abigail Benton. Abby a travaillé pour moi, mais aujourd'hui elle compte beaucoup trop pour moi pour rester une simple employée.

Elle rougit, et paniqua.

— Enfin, Matt, que fais-tu ? dit-elle entre ses dents. Je ne veux pas que ces étrangers croient que...

— Mais ce ne sont pas des étrangers, la coupa-t-il.

— Des clients, si tu préfères. Paula m'a dit que c'étaient les personnes les plus importantes avec lesquelles tu aies jamais traité.

— Des personnes importantes pour moi, oui, mais pas au sens professionnel, expliqua-t-il doucement. Il s'agit de ma famille, Abby, et ils sont tous venus pour faire ta connaissance.

Décontenancée, elle déglutit difficilement, observant tour à tour chacun des convives. Finalement, elle reconnut des visages qu'elle avait déjà vus dans les journaux, à la télévision, dans les magazines, et ses yeux revinrent vers le couple avec lequel Matt s'entretenait quelques instants plus tôt.

— Le roi et la reine d'Elbia, dit-elle en hochant la tête, incrédule.

— En effet. Mon frère Thomas et son épouse sont les directeurs-adjoints de la fondation caritative de Leurs Altesses Royales. Le roi Jacob doit rencontrer le président américain cette semaine, et nous avons réussi à le persuader de faire une halte aux Bermudes pour se reposer un peu.

— Et... les deux autres jeunes hommes, ce sont tes frères ?

— Oui. Près du buffet, tu as Thomas et sa femme, Diane. Et Christopher est en train de parler avec mon père.

— Ton père ? Mais je croyais...

— Nous ne nous étions pas revus depuis dix ans, alors je me suis dit qu'il était grand temps de se retrouver.

Surprise, méfiante, elle fit un pas en arrière et essaya de dégager sa main. Mais Matt la tenait fermement serrée dans la sienne, et il l'obligea à avancer tandis que les autres l'observaient avec une curiosité non dissimulée.

— Pourquoi ? murmura-t-elle. Pourquoi maintenant... et sans m'avoir prévenue ?

— Maintenant, parce qu'un jour tu m'as dit toi-même que la vie était trop courte et la famille trop importante pour s'en couper définitivement. Pourquoi est-ce que je ne t'ai pas prévenue ? Parce que tu ne serais pas venue, et il fallait que tu sois là.

— Je ne comprends plus rien.

Elle avait la gorge serrée. C'en était trop pour elle.

— Tu es mon invitée d'honneur, chuchota Matt avec un sourire malicieux qu'elle trouva aussi inquiétant que séduisant.

Les lèvres de Matt frôlèrent son oreille, et elle dut se retenir de ne pas bondir en arrière tellement son contact l'électrisa.

Avant qu'elle n'ait eu le temps de protester ou de poser d'autres questions, Matt commença à faire les présentations.

Elle savait déjà que ses deux belles-sœurs étaient américaines, et elle les aima tout de suite. Diane était une brune pragmatique, mère de quatre enfants, dont trois étaient issus d'un précédent mariage qui, d'après ce qu'Abby comprit, n'avait pas été aussi heureux que celui avec Thomas Smythe. Quant à Jennifer, elle était mariée avec lord Christopher Smythe, et ils habitaient un château écossais qu'ils restauraient. Ces derniers étaient encore jeunes mariés et ils ne cachaient pas leur bonheur. Quant au roi et à la reine, ils étaient éblouissants. En revanche, le père de Matt dégageait une gravité qui dénotait un homme d'importance, et son regard aigu ne quitta pas Abby pendant tout le temps que durèrent les présentations.

— Et maintenant, annonça Matt, voici la raison de notre présence ici.

Abby se tourna alors vers lui en fronçant les sourcils. Elle se sentait désavantagée, car chacun semblait être au courant de ce qu'il se tramait, alors qu'elle n'en avait pas la moindre idée.

Plongeant la main dans sa veste, Matt en sortit un petit écrin. Il devait s'agir d'un cadeau de départ de la part de Smythe International, qu'il lui remettait avec un peu de retard. Mais dans ce cas-là, comment expliquer la présence de la famille Smythe ? Soudain, elle comprit et faillit en perdre la respiration.

— Oh non, Matt...

Elle tenta de faire demi-tour, mais il saisit son poignet et l'obligea à lui faire face.

— Tu dois me laisser faire, dit-il fermement en la regardant avec une intensité brûlante. Réponds ensuite ce qu'il plaira, mais laisse-moi au moins réciter mon petit discours.

Abby s'immobilisa, tremblant de la tête aux pieds, certaine qu'elle allait s'effondrer au milieu de cette prestigieuse assemblée. Fermant les yeux, elle regretta de ne pas avoir le don d'invisibilité, et elle se mit à prier de tout son cœur que la Bourse s'effondre ou qu'il y ait un tremblement de terre...

N'importe quoi, pourvu que Matt ne prononce pas ces mots auxquels elle se sentait incapable de croire.

— Toutes les personnes rassemblées ici attendent ce moment depuis longtemps, commença-t-il.

Ses paroles furent saluées par un murmure approbateur.

— Il y a deux raisons à cela : tout d'abord, parce que je m'étais coupé de cette famille depuis trop d'années, et que j'avais besoin de rencontrer quelqu'un qui me fasse comprendre que la perte d'un être cher ne devait pas m'empêcher définitivement d'aimer.

Abby le fixait intensément.

— Ensuite, tout le monde espérait que je finisse par me ranger et que je fasse autre chose de ma vie que gagner toujours plus d'argent... même si c'est une occupation plutôt agréable.

Il y eut des petits rires, mais ils cessèrent dès que Matt ouvrit d'une main l'écrin, révélant un solitaire de la taille d'une grosse amande. Abby recula de deux pas, et se heurta à Diane, qui lui chuchota à l'oreille.

— Du calme.

Abasourdie, elle avait le regard rivé sur la pierre précieuse tandis que Matt passait la bague à l'annulaire de sa main gauche.

— Oh, mon Dieu... Je ne sais pas quoi dire.

Des larmes roulaient le long de ses joues. Elle ne savait plus où elle en était. Quelle cruelle comédie ! Comment croire que Matt voulait l'épouser, alors qu'il lui avait soutenu le contraire il n'y avait que quelques semaines ?

Le cœur lourd, elle regarda tous les visages souriants qui les entouraient. Ils attendaient sa réponse, et elle se sentit prise au piège.

— Je ne peux pas, finit par dire Abby dans un sanglot.

Puis elle retira la bague et la déposa dans la main de Matt.

Ensuite, elle sortit de la véranda en courant, traversa le jardin et ne s'arrêta que lorsqu'elle arriva à la petite falaise qui dominait la mer. Là, elle se laissa tomber sur le banc de pierre et se mit à sangloter éperdument, la tête entre les mains.

Elle n'aurait su dire depuis combien de temps elle se trouvait là quand elle entendit une voix grave s'adresser à elle.

— Il a l'habitude d'obtenir tout ce qu'il désire. Comme son vieil entêté de père.

Abby leva alors les yeux, et elle se trouva face au vieux comte, qui la regardait, l'air bienveillant et soucieux.

— Je suis désolée, murmura Abby. Je me suis mal comportée. Mon refus manquait de courtoisie.

— Puis-je me permettre de vous demander pourquoi vous avez refusé la demande en mariage de mon fils?

Il attendit, mais Abby était incapable de lui répondre, tant elle avait peur que sa voix ne la trahisse.

— A ma connaissance, c'est la première fois qu'il demande une femme en mariage. Avez-vous refusé parce que vous ne l'aimez pas?

Elle hocha la tête.

— C'est parce que je sais que dans son cœur, il ne désire pas vraiment se marier — que ce soit avec moi ou avec une autre. Je ne le pense pas capable de croire qu'une femme restera avec lui pour la vie. Alors, il se sentira obligé un jour ou l'autre de la... de me quitter.

— A cause de sa mère.

— Oui.

Le vieux comte fit le tour du banc et vint s'asseoir près d'elle.

— C'est en grande partie ma faute. J'ai rejeté ma famille le jour où Anna m'a quitté. J'ai négligé mes fils.

Abby se tourna alors vers lui, touchée par la profonde émotion qu'elle pouvait percevoir dans sa voix, et qu'il ne devait dévoiler que très rarement à autrui.

— Vous l'aimiez beaucoup, murmura-t-elle. Que s'est-il passé?

— Anna avait l'esprit libre, alors que moi, j'avais un titre, des responsabilités, et une nature sérieuse. Elle est restée avec moi plus longtemps que je ne l'aurais cru, me donnant trois fils. Mais le jour où elle est finalement partie, après m'avoir répété pendant des années qu'elle étouffait, je ne voulais pas le croire. Je l'ai très mal vécu.

Abby fut frappée de l'entendre évoquer avec autant de tendresse une femme qui l'avait abandonné.

— Vous l'aimez toujours, chuchota Abby.

— Oui, même s'il m'a fallu très longtemps pour l'admettre.

Il lui lança un regard en biais.

— Je peux seulement deviner le chagrin que mon fils vous a causé, le temps qu'il analyse ses propres sentiments. Mais je peux vous affirmer une chose : les quatre trop courtes années que j'ai passées avec mon épouse ont donné un sens à tout le reste de ma vie. Personne ne peut garantir qu'un amour durera toujours, mais je pense que Matt a fini par comprendre, comme ses frères, que le jeu en valait la chandelle. Il vous aime, Abigail. Et vous l'aimez. Que demander de plus ?

Les yeux du vieil homme étaient embués par les larmes. Déglutissant difficilement, Abby refoula ses propres larmes d'un battement de paupières. Puis elle se pencha vers le comte et déposa un baiser sur sa joue.

— Merci, murmura-t-elle.

Ils restèrent ensuite assis un moment en silence, jusqu'à ce qu'une ombre s'interpose entre la lumière qui venait de la maison et le banc. Lorsqu'elle leva les yeux, elle se trouva face à Matt, qui les regardait.

— Tu vois comme je suis malin ? Je t'ai envoyé un vieil homme sage pour t'attendrir.

— Décidément, vous les Smythe, vous êtes impitoyables, dit-elle en riant malgré son émotion.

— Vraiment ?

— Si vous voulez bien m'excuser, annonça le vieux comte en se levant, je pense que c'est maintenant à toi de jouer, mon garçon.

Avant même que son père n'ait disparu dans les buissons de roses, Matt s'agenouilla devant Abby. Elle voulut protester, mais finalement se contenta de sourire devant ce geste quelque peu démodé mais si romantique.

— Je ne sais pas si tu me crois capable de te donner ce dont tu as besoin, commença-t-il en tenant les mains de la jeune femme serrées dans les siennes, mais je jure que je ne pourrais plus vivre sans toi, Abby. Je t'aime de toute mon âme. Epouse-moi, je t'en prie. Tu ne le regretteras jamais, ni toi ni nos enfants.

— Oh ! Matt, répondit-elle en pleurant. Tu es sincère ?

— Absolument, mon amour.

Elle noua alors les bras autour du cou de Matt et le tint fermement serré lorsqu'il se releva, en la soulevant dans ses bras puissants. Il l'embrassa avidement. Leur baiser devint plus profond et elle sentit son cœur s'envoler. Pourtant, elle se dégagea.

— Que se passe-t-il ? demanda-t-il, inquiet.

Le visage rayonnant de bonheur, elle lui dit :

— Avant que je ne te donne ma réponse définitive, est-ce que je pourrais revoir ce diamant d'une taille absolument indécente ?

— A vos ordres, m'dame !

12.

Abby vécut les jours suivants comme sur un nuage rose. Elle appela son nouvel employeur, à Chicago, pour l'informer de sa démission, puis elle appela Dee, pour lui annoncer la nouvelle. Même après le départ des frères, des belles-sœurs et du père du Matt pour l'Angleterre, elle ne connut que des matins à l'aube rosée, des après-midi éclaboussés par l'éclatant soleil tropical et des nuits de bonheur parsemées d'étoiles. Pourtant, ce bonheur lui semblait parfois trop beau pour être réel, et Matt devait avoir perçu son inquiétude, car un jour il lui demanda, alors qu'ils se préparaient pour sortir dîner :

— Il y a encore quelque chose qui te préoccupe ?

— Non, dit-elle gaiement, avant de se reprendre : enfin, je suis surtout perplexe.

Il prit alors sa main dans la sienne et ils s'assirent face à face sur le lit.

— Explique-moi ce qui te perturbe.

Elle eut du mal à trouver les mos pour exprimer exactement ses sentiments.

— Tu as fui les relations sérieuses et le mariage pendant si longtemps et voilà que du jour au lendemain, tu sembles avoir complètement changé d'avis. En général, je me méfie des revirements aussi soudains chez les gens.

Souriant, il passa ses grands doigts dans l'épaisse chevelure aux reflets d'or.

— Le changement ne s'est pas opéré aussi subitement ni aussi facilement que tu le penses, mais je t'assure que je ne reviendrai pas sur ma décision.

— Comment en avoir la certitude ? demanda-t-elle en levant les yeux vers lui.

Il réfléchit un moment.

— Parce que cela a été très difficile pour moi de faire le premier pas vers mon père. J'ai été persuadé pendant des années que je serais incapable d'aller vers lui, de lui exprimer mes sentiments — au sujet de ma mère, et de son rejet. C'est alors que je t'ai rencontrée, et que j'ai su que j'avais besoin de toi dans ma vie. Et le seul moyen de te convaincre de la sincérité de mon amour et de mon désir de fonder une famille, c'était de surmonter mon appréhension et de me réconcilier avec mon passé.

— Tu l'as fait pour moi ? murmura-t-elle.

— Au départ, oui. Ensuite, après avoir passé plusieurs jours à Londres avec mon père, j'ai compris que ce n'était pas uniquement pour toi. Je ne m'étais jamais senti autant en paix avec moi-même depuis longtemps. Je me sentais...

Il hésita, cherchant ses mots.

— ... de nouveau entier. Réparé. Capable de devenir un conjoint solide, et un père.

Sur le point de pleurer, Abby refoula ses sanglots. Même des larmes de bonheur n'avaient pas leur place dans cette chambre, avec eux.

— Je suis si fière de toi, murmura-t-elle, en l'attirant vers elle pour l'embrasser avec une grande tendresse.

Le temps sembla suspendre son vol, et le baiser ne jamais prendre fin. Il devint plus profond, et Abby fut envahie par une paix et une confiance qui lui parurent aussi naturelles que le concert des petites grenouilles, à l'extérieur. Elle laissa Matt l'attirer sur ses genoux et elle émit un petit cri de surprise et de ravissement lorsqu'elle sentit ses lèvres parcourir sa gorge déliée. Ensuite, ses doigts commencèrent à déboutonner sa robe, et ses mains se glissèrent à l'intérieur du vêtement.

— Je croyais que nous avions réservé pour 7 heures ? chuchota-t-elle.

— Oui, répondit-il, en embrassant le doux renflement d'un sein.

— Nous n'avons pas beaucoup de temps, alors.

— Nous avons tout le temps que nous voulons, répondit-il dans un souffle, en lui adressant un regard velouté et intense.

La passion brûlante qui se lisait sur les traits de Matt finit de la convaincre, et une chaleur familière s'alluma au bas de son ventre.

— Si nous n'avons qu'une heure de retard, Maurice gardera peut-être notre table, suggéra-t-elle, tout en se cambrant pour le laisser taquiner le bourgeon d'un sein avec la bouche.

— A mon avis, nous aurons plutôt deux heures de retard.

— Deux heures ? demanda-t-elle, à la fois étourdie et ravie.

— Peut-être plus.

Les mains et la bouche de Matt ne cessaient d'aller et venir, et le corps d'Abby répondait comme toujours à chacune de ses caresses.

Se renversant en arrière, elle entraîna Matt qui la tenait serrée dans ses bras puissants, et ils tombèrent tous les deux sur le lit. Elle se pencha ensuite sur lui pour le débarrasser de ses vêtements, puis elle caressa sa virilité gonflée par le désir jusqu'à ce qu'il laisse échapper un grondement sourd. Quand enfin la faim qu'ils éprouvaient l'un pour l'autre devint insupportable, elle s'ouvrit à lui et il s'immergea dans la douce chaleur de son corps.

Ils ne faisaient plus qu'un, et elle s'abandonna entièrement à lui — cœur, corps et âme — et à la communion des sens.

Maintenant, elle ne se posait plus aucune question sur les changements qui s'étaient opérés en Matt. Il était à elle, elle était à lui, et le monde et ses tourments ne pourraient les atteindre tant que leur amour resterait fort.

✶✶

Le château des souverains d'Elbia surplombait la vieille ville, et il paraissait minuscule par rapport aux immenses montagnes coiffées de neiges éternelles qui l'entouraient. Les habitants d'Elbia surnommaient la résidence de la famille royale « le palais de verre », car lorsque le soleil brillait sur le précieux marbre blanc de Russie veiné de quartz blanc, ses tours scintillaient comme du verre taillé. Le jour du mariage d'Abby et Matt, les reflets du soleil de janvier sur les montagnes enneigées et les murs du château étaient presque aveuglants.

Au début, Abby avait expliqué à Matt qu'elle souhaitait seulement une cérémonie intime et simple, dans la ferme familiale. Mais à partir du moment où elle eut accepté la bague et la demande en mariage du jeune comte, les femmes de la famille se chargèrent de tout organiser.

— Non, non, insista Jennifer. Vous devez absolument vous marier à Londres, dans une vieille et belle cathédrale. Je pourrais vous en montrer des dizaines, qui sont d'une beauté à vous couper le souffle.

— Il y a une autre solution, proposa Diane, en lançant un regard entendu en direction du roi Jacob, comme s'ils avaient déjà évoqué le sujet ensemble.

Le jeune monarque adressa alors un signe de tête à l'épouse de son meilleur ami, puis il se tourna vers Abby et Matt.

— La reine et moi-même serions très honorés que vous célébriez votre mariage au château.

Surprise, Abby laissa échapper un petit cri.

— Mais, nous ne pouvons..., commença-t-elle, avant de lancer à Matt un regard mêlant surprise et ravissement. Nous pouvons ?

— La décision t'appartient, répondit-il avec un sourire.

— Eh bien... J'ai toujours eu envie d'aller en Europe... J'adorerais, finit-elle par dire.

Et c'est ainsi que le jeune couple décida finalement que

leur mariage serait célébré en grande pompe, et en présence de tous leurs amis. Après la cérémonie, Abby et Matt partiraient en lune de miel pendant un mois, et ils en profiteraient pour visiter le Vieux Continent, de Paris à Londres, de Madrid à Vienne. Pour Abby, c'était encore plus merveilleux qu'un rêve devenu réalité.

Elle choisit Dee comme témoin, et demanda à Paula et à ses deux meilleures amies de l'université d'être ses demoiselles d'honneur.

Tous les invités, dont les parents d'Abby — qui ne cachaient pas leur fierté — et la famille de Matt venue d'Angleterre, arrivèrent à Vienne en avion. Là, des hélicoptères les attendaient pour les transporter en petits groupes joyeux au royaume d'Elbia, les déposant sur la piste d'atterrissage située dans les jardins du palais.

Abby portait une robe de mariée en velours couleur crème, dont les manches ajustées se terminaient en pointe sur la main et dont le décolleté s'évasait en un col montant qui encadrait élégamment sa gorge et son visage. Ses cheveux roux souples étaient rassemblés dans un chignon haut, et de minuscules perles étaient glissées au centre de chaque boucle. Elle avait l'impression d'être une princesse de conte de fées, et Matt n'était rien de moins que son prince charmant.

Les invités quittèrent le royaume dans les jours qui suivirent cette cérémonie raffinée, et la vie au palais retrouva progressivement un cours normal. Le roi Jacob proposa à Matt de leur prêter son jet privé pour qu'ils se déplacent plus rapidement d'une étape à l'autre de leur voyage de noces.

— Qu'en penses-tu ? demanda-t-il à Abby. Est-ce que nous traversons l'Europe à toute vitesse au gré de nos caprices, ou bien est-ce que nous nous en tenons à notre projet initial ?

Abby réfléchit un moment.

— Je préférerais que nous restions tous les deux, et que nous prenions le temps de nous promener entre chaque ville, pour profiter du paysage. Cela te contrarie beaucoup ?

— Pas du tout, dit Matt. J'aurais fait le même choix.

Il l'embrassa sur les lèvres et elle lui adressa un regard dans lequel il lut tout l'amour qu'elle lui portait. Un amour qu'il craignait de ne jamais mériter, mais il se promit de faire tout son possible pour s'en montrer digne.

— Viens, dit-il en prenant sa main dans la sienne, les yeux pétillant de malice comme un enfant. J'ai quelque chose pour toi.

Et il l'entraîna vers le grand escalier de pierre qui menait aux quartiers privés des étages supérieurs.

Abby sourit.

— Si j'ai bonne mémoire, tu m'as déjà donné quelque chose ce matin... et la nuit dernière aussi.

Arriverait-elle jamais à se rassasier de lui? C'était peu vraisemblable, mais elle se garda bien de le lui avouer : son amour-propre n'avait pas besoin d'être flatté!

— Je ne te parle pas de ça, répliqua-t-il en riant, même si c'est une perspective plutôt tentante. En fait, il s'agit d'un cadeau de mariage. Cela fait des semaines que je l'ai commandé, mais il n'est arrivé qu'hier.

— Je n'ai pas besoin d'un nouveau cadeau, protesta-t-elle doucement.

— Mais tu aimeras celui-ci, lui assura-t-il avec un clin d'œil, qui fit chavirer son cœur.

Matt ouvrit la lourde porte en chêne qui menait à leur suite privée, dont le mobilier était de bois massif de couleur foncée, patiné par les siècles, et chargé d'histoire. Sur le lit, elle découvrit une petite boîte enveloppée dans du papier couleur lavande, et posée sur un coussin de satin. Elle s'assit et la prit dans ses mains.

— Ouvre-la, l'encouragea Matt, qui la regardait avec émerveillement et fierté.

— Tout ce que je voulais, c'était toi, chuchota-t-elle. Et nous avons déjà reçu des tonnes de cadeaux somptueux.

— Ouvre-la, insista-t-il.

— Bien, lord Smythe, dit-elle en se moquant de lui.

Lentement, Abby sortit plusieurs feuilles de papier de soie

d'une petite boîte blanche qui portait un emblème estampé à l'or : celui des cristalleries Waterford.

— Du cristal ? demanda-t-elle. Mais ça doit être minuscule !

— De quoi compléter ta collection.

Un large sourire aux lèvres, elle caressa tendrement la joue de Matt, émue qu'il ait remarqué sa collection de petits animaux de verre, dans son appartement de Chicago.

— Et comment sais-tu que je ne l'ai pas déjà ? Tu as demandé à Dee ?

— Non, mais parce que je l'ai fait dessiner spécialement pour toi par les créateurs de Waterford.

Abasourdie, elle le fixa du regard.

— Ça a dû te coûter une fortune !

— Vas-tu finir par ouvrir cette boîte, oui ou non ?

Elle s'exécuta, et en sortit un petit sujet, qu'elle posa au creux de sa main. Il ne s'agissait ni d'une licorne ni d'un papillon, mais de deux personnages. Une mère et son enfant tendrement enlacés.

Sa vue se brouilla.

— C'est la plus belle chose que j'aie jamais vue, murmura-t-elle.

— J'ai pensé que tu l'aimerais, connaissant tes sentiments pour les enfants. Par ailleurs, mon amour, il est temps.

— Temps ? demanda-t-elle, en inclinant la tête sur le côté pour étudier son expression mystérieuse.

Pourtant, il avait l'air tout ce qu'il y a de plus sérieux...

— Tu veux dire, maintenant ? Tu veux déjà fonder une famille ?

Il hocha la tête, le regard brûlant d'anticipation.

— Mais tu as un contrat en attente avec un vignoble californien, et puis il y a aussi cet exportateur de caviar russe.

Matt se pencha alors vers elle et l'attira contre lui.

— Aux Bermudes, j'ai appris une leçon très importante. Le travail attendra toujours, mais peut-être pas les gens que j'aime. Je veux que ma vie soit remplie par toi et nos bébés,

Abby. Et il n'y aura jamais de meilleur moment que celui-ci pour commencer notre famille.

Il l'embrassa tendrement, longuement, puis il prit les petits sujets en cristal et les déposa délicatement sur la table de nuit.

— J'ai toujours dit, murmura Abby en déboutonnant la chemise de Matt, qu'il n'y a pas de meilleur moment que le moment présent.

— Entièrement d'accord avec vous, lady Smythe, reconnut-il en la couchant sur le lit.

Et cet après-midi, avec une passion qui brûlerait avec la même intensité pendant leurs longues années de mariage, ils conçurent leur premier enfant.

Le nouveau visage
de la collection Or

◆

AMOURS D'AUJOURD'HUI

Afin de mieux exprimer sa modernité et de vous séduire encore davantage, votre collection Or a changé de couverture et de nom depuis le 1er mars 1995.

Rassurez-vous, les romans, eux, ne changent pas, et vous pourrez retrouver dans la collection **Amours d'Aujourd'hui** tous vos auteurs préférés.

Comme chaque mois, en effet, vous y attendent des héros d'aujourd'hui, aux prises avec des passions fortes et des situations difficiles...

COLLECTION
AMOURS D'AUJOURD'HUI :
Quand l'amour guérit des blessures de la vie...

Chère lectrice,

Vous nous êtes fidèle depuis longtemps?
Vous venez de faire notre connaissance?

C'est pour votre plaisir que nous avons
imaginé un rendez-vous chaque mois
avec vos auteurs préférés, vos
AUTEURS VEDETTE dans les
collections Azur et Horizon.

Les AUTEURS VEDETTE vous
donneront rendez-vous pour de
nouveaux livres vedette.

Pour les reconnaître, cherchez
l'étoile... Elle vous guidera!

Éditions Harlequin

HARLEQUIN

LE FORUM DES LECTEURS ET LECTRICES

CHERS(ES) LECTEURS ET LECTRICES,

VOUS NOUS ETES FIDÈLES DEPUIS LONGTEMPS?

VOUS VENEZ DE FAIRE NOTRE CONNAISSANCE?

SI VOUS AVEZ DES COMMENTAIRES, DES CRITIQUES À
FORMULER, DES SUGGESTIONS À OFFRIR, N'HÉSITEZ
PAS... ÉCRIVEZ-NOUS À:
>   LES ENTERPRISES HARLEQUIN LTÉE.
>   498 RUE ODILE
>   FABREVILLE, LAVAL, QUÉBEC.
>   H7R 5X1

C'EST AVEC VOS PRÉCIEUX COMMENTAIRES QUE NOUS
ALLONS POUVOIR MIEUX VOUS SERVIR.

DE PLUS, SI VOUS DÉSIREZ RECEVOIR UNE OU
PLUSIEURS DE VOS SÉRIES HARLEQUIN PRÉFÉRÉE(S)
À VOTRE DOMICILE, NE TARDEZ PAS À CONTACTER LE
SERVICE D'ABONNEMENT; EN APPELANT AU
(514) 875-4444 (RÉGION DE MONTRÉAL) OU 1-800-667-4444
(EXTÉRIEUR DE MONTRÉAL) OU TÉLÉCOPIEUR
(514) 523-4444 OU COURRIER ELECTRONIQUE:
AQCOURRIER@ABONNEMENT.QC.CA OU EN ÉCRIVANT À:
>   ABONNEMENT QUÉBEC
>   525 RUE LOUIS-PASTEUR
>   BOUCHERVILLE, QUÉBEC
>   J4B 8E7

MERCI, À L'AVANCE, DE VOTRE COOPÉRATION.

BONNE LECTURE.

HARLEQUIN.

VOTRE PASSEPORT POUR LE MONDE DE L'AMOUR.

COLLECTION HORIZON

Des histoires d'amour romantiques qui
vous mènent au bout du monde!

Découvrez la passion et les vives
émotions qu'apportent à la Collection
Horizon des auteurs de renommée
internationale!

Captivantes, voire irrésistibles, ces
histoires d'amour vous iront
assurément droit au coeur.

Surveillez nos quatre nouveaux titres
chaque mois!

La COLLECTION AZUR

Offre une lecture rapide et

- ✔ stimulante
- ✔ poignante
- ✔ exotique
- ✔ contemporaine
- ✔ romantique
- ✔ passionnée
- ✔ sensationnelle!

COLLECTION AZUR...des histoires
d'amour traditionnelles qui vous
mènent au bout du monde!
Six nouveaux titres chaque mois.

L'ASTROLOGIE EN DIRECT TOUT AU LONG DE L'ANNÉE.

(France metropolitaine uniquement)
Par téléphone 08.36.68.41.01
0,34 € la minute (Serveur SCESI).

Composé sur le serveur d'Euronumérique, à Montrouge
par les Éditions Harlequin
Achevé d'imprimer en janvier 2002

BUSSIÈRE

GROUPE CPI

à Saint-Amand-Montrond (Cher)
Dépôt légal : février 2002
N° d'imprimeur : 16948 — N° d'éditeur : 9163

Imprimé en France